U0023237

DREAMAKERS PRESENT

圍街有殭屍

ZOMBIES IN TEMPLE STREET

II

西樓月如鈎

作者序

感謝大家支持廟街有殭屍的第二季。

動筆寫第二季時，荒謬這兩個字一直潛藏在我腦海，久久揮之不去，最後決定圍繞這個為主題。

我想，當一些人形害我們身處的世界是荒謬絕倫，這是難以否認，為何人類會有大屠殺？何以如此多災難發生而世界卻對之沉默。

當人向世界尋求公義，世界卻對之沉默，這就是荒謬。

荒謬的事，你我都有可能會遇上，差在何時，或是有沒有機會。如何應對荒謬，則是一個重點。面對天災，我們可能未必有太長悲恨，因為無可怪罪的對象。如果不幸遇上他人加諸的災難，你會怎樣面對？

如同故事中一個一個發生的悲劇，當你遇上殺死你的兇手，而又有一個機會，你會選擇化成厲鬼報仇？還是選擇放下如何？放下，又是否等同失去一個公義伸張的機會。

荒謬還不是重點，我們的態度是重點，態度源自抉擇。

主角韓壬辰也是人，當遇上「那件事」，便促使他最後的反應。許多人縱然感覺可惜，我卻覺得這是正常。

就讓我們一起看下去，韓壬辰的決定最終是如何。

最後感謝你們的支持，沒有你們，西樓也走不下去。
謝謝你。

西樓月如鈎
2022 年‧夏

目 錄

序章 順利邨無頭殺人案

「你竟然唔知順利邨嘅歷史?」同事欹側身體,眼神充滿不可思議。

月亮光光,天色窅黑,冷清的佐敦谷。

「真係未聽過喎。」我說。

「順利邨嘅前身係『新九龍7號墳場』。」同事說。

「新九龍7號墳場?」我問。

「嗰時嘅順利邨,邊似而家咁多樓,反而係墳場荒塚纍纍……」他神色凝重,壓低聲線,聲音有幾分似鄭子誠。

「……」

他遠望說:「當時港英政府強行遷移咗無數骨骸,包括將啲已經入土為安但無人認領嘅骨骸挖出嚟火化,然後扑去沙嶺。剖棺戮屍,積怒結怨,自此呢度成為東九龍最重屍氣地方,成日出事……」

「屍氣重又會點?」我問。

「唔見咗人囉,啲人成日話結界、結界,就係走咗入結界,成個人唔見咗。」另一個同事說。

「仲有屍變。」

「屍變？」我問。

「哼。」他輕哼一聲，戴上殯儀行業專用的白手套說：「記住啊新仔，會做同生人相反嘢嘅⋯⋯一定唔會係人。」

「即係咩？」我問。

「到時咪知，遇到屍變或者污穢嘢，你除咗走，係無任何機會，除非⋯⋯你識驅魔。」他開玩笑說：「順利邨同另一個地方都係呢行嘅黑點，好多人做做下嘢失蹤。」

「咁仲有邊個地方？」

「九龍城。」

說罷，黑箱車緩緩駛入順利邨。

我打了一個冷顫，在筆記簿寫下：

執屍守則 1：千萬不能接近行徑相反的人

執屍守則 2：與非必要，遠離順利邨及九龍城

我叫韓壬辰，曾任殮房助理，新調任到另一個部門——執屍隊。

執屍隊，即是俗稱的黑箱車。香港絕大部分人都在醫院離世，而黑箱車就是負責收集在醫院以外離世的屍體，包括那些謀殺、意外死亡的人。

實習的短短幾個月，我已經見盡最奇形怪狀、各種詭異死法的屍體。

有電得全身焦黑，一陣惹香的燒烤肉味；有遇溺身亡、身體發脹得如一個吹脹的雞泡魚，全身傳出難以忍受的腐臭味；有跳樓死，身體撞到晾衫架，整個人斷開兩截且手腳分離，如同積木公仔被撞散了。

也有跳軌自殺，火車將之輾成一塊塊碎肉，遺體扁如一張熨平的紙張。

由於我們工作就是要搜集死者的遺體，是每‧一‧個‧部‧分。所以不論扁成怎樣，碎成怎樣，我們都要逐一執拾。

肉塊、碎骨、碎腦、碎腸……各種各樣難以忍受的遺體，發脹腐臭的我都一一見識過，比我之前在殮房做，有過之而無不及，所以我好一段時間沒有吃肉、豆腐花。

這些還好，只要心理和生理關口頂住，最怕是……科學沒法解釋的……古怪事。

屍變，大概是我們行內最危險的事。

第一次正式出車，便遇上收屍的黑點，秀茂坪的順利邨。大概凌晨三時四十八分左右，我們收到指示來這裏收屍。

那晚，全港暴風驟雨，天色灰如魚肚死白，天文台急忙掛上八號颱風警告，全城戒備，這個風球來勢急速而兇猛。

做我們這一行，八號風球也得上班，沒有例外，即使十號如是，有屍要收便得出動。

只是，這一區風平浪靜，靜得……異常可怕，街上空無一人，沉默無聲如死城。

黑箱車駛入利安道，臨入邨前，忽然停在邨口。

「到啦？」我疑惑地問。

「落車先。」他們只吩咐。

收屍隊，一般都是由四個人組成，按地區劃分。我們這一隊負責九龍東至西，有兩個人都有十五年以上的經驗，經驗老到，分別叫南乳、郜哥。另外一個跟我一樣是新人，都是入行幾個月的新人，叫細B。

兩個舊人帶兩個新人是慣例，畢竟這一行流失率高，多數人做幾個月就會受不了辭職。

我和細B尾隨南乳、郜哥下車，環顧四周皆水靜鵝飛。

「我哋停喺呢度做咩？」細 B 好奇地問。

「拜咗神先。」南乳、郃哥他們異口同聲説。

邨口有一座古廟，名叫順利福德伯公廟，據南乳、郃哥所説，福德伯即是土地廟，由於這裏辦事太邪，每次入邨前他們都會上來拜拜，保佑工作平安。

土地廟內，天花板掛滿數十卷大型的圈香，裏面還有各類神像，包括關公、千手觀音、土地公等。廟內占卜位置近門口坐着一人，是一個瞎眼的老婆婆。

進廟內，有種渾身不對勁的感覺。南乳、郃哥上完香後，就順手擲筊。

「後生仔，新入行呀？」坐在老人椅的老婆婆説。

細 B 懶得回應，我只好説：「係啊。」

「勸你哋盡早扯啦，唔好再做。」婆婆説。

「點解？」我問。

「聽婆婆講一句，呢啲死人錢，你哋係無命賺。」婆婆説。

「阿婆，你盲嘅，扮咩識睇相啊！」細 B 不屑，開口嗆道。

阿婆沒有再説話，忽見南乳、郃哥擲筊後面色低沉，眉頭深鎖，似是心事重重。

「做咩？」我問。

「無事。」邰哥説。奇怪是，平常他們中氣十足，現在卻語調帶虛。

「真係？」我問。

「問咁多做咩，走啦。」南乳説。

忽然一陣怪風吹過，來得匪夷所思，就像從地面以來，將廟外半數的燈都吹滅；香爐跌倒地上，發出清脆鐘聲；香枝紛紛都飛倒在地，亂成一團。

「大風，快啲做完快啲走。」邰哥説。

風蕭蕭分易水寒。

他們急急忙忙着我們離開，只是我餘光瞄到，擲筊是兩凸面。

兩凸面是陰杯。

無着疑問，我們入邨了。

順利邨。

順利邨是傳統舊式井型公屋，燈光詭暗，猶如恐怖鬼片的場景。走廊和窗在震風狂嘯下，一開一合，發出哼哼的怪異聲，令人心寒。

提着收屍鐵箱進邨，特別是舊式的開放式走廊吹得我們東歪西倒，站也站不穩，風聲嘶嘶，恐怖得來又有幾分淒怨。

曳步到一個單位，越過封鎖帶，剛進門就有一陣強烈的酸臭味，這陣惡臭味刺鼻得胃部抽搐，反應劇烈。我遇過許多屍體都沒有這種強烈臭味。

牆壁及地下鮮血淋淋，踏進門口，腳下便是血池，在牆上烙印住數十隻血手印和尖長而深刻的指痕，還有貼滿一道道紅字黃符，詭異無比。

我不禁打一個冷顫，細 B 嘩然道：「嘩，好似去咗鬼片場地，發生咩事？」他拾起神枱上一個細骨頭，如同人的手指骨問：「呢個咁得意嘅？」

邰哥狠拍他的膀，示意他不要胡亂説話。

「專心做嘢啦。」邰哥説。

別多管閒事是我們保命要訣，他們説的。

我們的工作，只要收拾好屍體便可以離開，不關自己的事就不要管。

進到浴室，方發現剛才廳外是小巫見大巫，血濺的程度比剛才客廳誇張得多，整個不足五十尺的浴室，沒有一個地方不是紅色，鐵銹的鏡子、剝落的天花板、馬桶、牆磚全都是一條條數之不盡的血噴濺痕。

「嘩……真係蕃茄汁都無咁多。」細B説。

他又失言，遭其他人狠打一拳。

浴缸有一具女屍，身穿校服，以一種奇形怪狀的姿勢縮成一團，雙手以190度的誇張扭曲度抓着自己的腳，整個身呈拱橋狀，身體發脹得如充氣氣球，看樣子應該死去好一段時間，刀痕累累。

不過最突出的，還是屍體至頸骨以上就只有神經線，頭顱不知去向。

「個頭呢？」南乳問。

「聽聞被佢老豆當垃圾扔咗去垃圾房，不過未搵到。」在場的警察説。

「咩老豆嚟㗎？有無血性。」細B怒道。

「喂，講咗唔好亂講嘢。」邰哥喝道。

説真的，我算是閱屍無數，但胃部仍忍不住翻滾，好不容易才忍下吐出的衝動。

浴缸已充滿血水，深紅色，帶點點酸臭乳酪混合腐肉味。

四人七手八腳將無頭女屍抬起，感覺比平時的屍體更沉重，正欲放進鐵箱時，細B忽然放手大叫，屍體失衡，狠跌血水之中，濺得我們滿面都是，嚇得所有人呆滯。

「喂！黐線㗎咩？做咩放手！」南乳大吼道。

「佢……」細 B 面色蒼白，口震不斷。

「佢乜啫，而家講緊你呀。」南乳不滿，指着他的頭說。

「佢……佢佢……佢。」口吃數秒，細 B 才吞吞吐吐地說出一句令人不明白的說話。

「佢……頭先手指尾勾咗我一下呀！」

「黐線，人哋死咗點摸你！學下韓壬辰啦，話又少過你，鎮又鎮定過你。」南乳說。

他的樣子顯然已經嚇壞，再不敢觸摸這女屍，唯有我們三個人合力收屍。

我屏息凝氣，深怕「她」會如細 B 所言，突然嘩的一聲抓住我的手。

我們一個人托她的屁股，兩個人托起身體，小心翼翼放入大黑膠袋，那是我們盛載屍體的專用膠袋。

噠，幾聲下我已封好膠袋，最後什麼事都沒有，我內心鬆了一口氣。

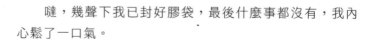

「好，收隊！」部哥拍拍手說。

「收隊？收咩隊，仲有個頭呢？」在場的警察說。

「你唔係話去咗垃圾房咩？」郶哥問。

「我個頭喺垃圾房。」？説。

「識唔識規矩，屍體任何一部分都要收集畀法醫化驗，唔係點出火葬令啊？去啦。」他們説完後，幾個警察互相不懷好意地嘲笑。

「咁喺邊？」南乳問。

「咪講咗垃圾房囉。」説罷，他們就收起餘下的物品，準備離開封鎖現場，收隊收工。

「點算？」我們八眼互望，不知所措。

「一齊去搵埋，大家都想早啲收工㗎。」郶哥説：「話説，你哋頭先聽唔聽到啲咩聲？」

「咩聲？」

「好似有一把女聲講嘢，但我唔肯定。」

「無啊。」我們説。

説真的，八號風球誰還想上班。

我們滿肚不快地來到後樓梯的垃圾房，雙手在芸芸垃圾桶左翻右找，尋尋找找好幾回，沒有發現所謂的人頭，菜頭餸尾倒是有不少。

「嘩，T-Black 都有？」細 B 抽起一條黑色的女人底褲，仔細端詳。

「咪玩啦。」南乳説。

「呢度無，咁去下一層搵？佢都無講扔咗邊層。」郃哥説。

「不如都係走啦，呢度好臭啊。」細 B 説。

「聽唔到佢講咩，要收埋個頭呀，我哋咁樣返去實畀人罵爆。」南乳説。

找到女屍的頭成為大家的共識，各人都只想快一點收好屍，然後盡快回家。

由於拿着收屍鐵箱，我們幾個人行動不便，只好搭軚到下一層。

我們進到一部殘舊發黑的升降機後，按下五字樓，電梯隨即搖晃地下降。

當軚門再次打開時，是六樓。

「六？」我問。

此時，有一隻黑貓經過，牠的眼睛是橘紅色，眼神凶狠。

牠牢牢瞪着我們，眼睛卻不似望着我們，是我們身後的東西。

20

還是手中所持的鐵箱？

我打了一個冷顫，轉頭一看，什麼都沒有。

是自己嚇自己而已。

黑貓⋯⋯好像是大忌，但是什麼大忌呢？我已經忘了。

此時，一個大概四十來歲、穿紅衣的長髮女人奔跑而來，右手揮晃，大叫：「等埋啊！」

這麼晚還有人啊。

我正想叫部哥等着，他卻發狂般按下電梯掣。

女人未到，軨門已關上。

「做咩唔等埋佢？」我問。

「呢行禁忌。」他滿頭大汗，口震震地説。

「咩禁忌？」我問。

「咁夜，邊有人搭軨㗎，同埋⋯⋯我咪講過，只有死人，會做同生人相反嘅嘢。」部哥説。

「即係點？」我問。

如果不是部哥，我們根本沒有留意到嚇人的細節。

郘哥面色蒼白，滿面冷汗地道：「頭先，佢係用手背招手。」

「手背招手有咩問題？」細B問。

「我咪講過，陰間嘅嘢先會做同陽間嘅人相反嘅行為。」

降至四樓，轆門打開，沒有人願意出轆門，聽完郘哥的話，個個都驚魂未定，各自望着地板。

是凝思，還是假裝凝思？

「細B……咳……」郘哥清清喉嚨，說：「你……你出去搵啦，我哋喺度等你。」

「我？」細B瞪大眼睛，不敢相信。

「你最新，你去啦。」他遞上收屍黑袋，撥撥手，示意他早去早回。

細B呼吸急速，以怨恨的目光怒瞪我，說：「你哋班仆街。」一句話後，便奔到黑影去。

轆內靜得讓人懷疑時間停止，僅有轆門欲關卻又強行開啟的隔阻聲，除此之外就是自己急速的心跳聲，每一秒都像一年，數着心跳聲，一分鐘猶如十年之久。

有想過細B想否找到女屍頭部……要不要出去幫手……

可是餘韻仍在，我不明白困在䡓內到底有什麼安全感，但大概䡓內的其他人都是這樣想，不願撕開虛假的面具。

大概五分鐘後，細B回來了。

「無事嘛？」郜哥問。

細B揮手表示沒有，目無表情，單單遞起手中的黑袋，隱約看到袋中有物，意味已找到頭部。

「好啦，搵到咪好囉，我哋返去啦。」南乳説。

細B仍然默不作聲，在他身體四周散發生人勿近的氣場，可能仍在為剛才的事生氣。

「直接去地下啦。」南乳説，按下地底樓層。

陡地間整䡓搖晃一下，暫停後動也不動，幾秒之後我們才意識到困䡓，立即按下警鐘。

長達數秒的警鐘聲後，終於有人回應。

「喂，救命啊。」郜哥叫道。

保安對我們説：「等一陣啦，呢排成日壞㗎。」

「幾耐啊？」

「而家搵咗消防㗎幫你哋三個人，五分鐘。」

「咁好快啫。」

「好彩。」南乳輕拍一下心臟。

啪。

啪。

啪。

忽然傳來一陣緩慢的拍手聲，回頭一看，正是細B在拍掌。

他拍手姿勢怪異。

他在用手背拍手。

一下、兩下、三下。

逆拍手。

生人跟死人不同。

這古怪的拍手姿勢，詭異可怕，我們無人能明。

「細B⋯⋯你喺度做咩？」我抽一口氣問。

只有死人，會做同生人相反的事。

燈光閃晃，殘影之中，細B用一把女人聲開口問：「你哋有無見過⋯⋯有無見過我個頭？」

「咩⋯⋯咩意思？」

「咯咯！」是從鐵箱傳出的聲音。

細 B 張口笑了，眼孔緩慢地流出兩行鮮血，忽然側頭，向左傾側，扭至一個不正常的曲度，臉上仍展現怪異的微笑。

「有無見過我個頭？」他再用女人聲音問。

沒有人敢回應，他雙手捧着頭，猛然一扭，頸部肌肉破裂，血頓時四濺，突露出頸骨。

電梯此時燈光一滅，其他人驚惶尖叫，是絕命的吶喊。忽然又是嚓勒一聲，只感到一股溫熱的液體濺中我的臉，四周寒冷的空氣中，嗅到淡淡的鐵銹味。

不斷閃爍的燈，熄滅了幾次之後，又重新回復正常，恢復視線後，我第一眼見到同事臉色蒼白的站在我面前，神情呆滯，目光只是看着一個空白的地方，整個電軨都是鮮血。

「細 B 去咗邊度……」我問。

「頭先……頭先唔係仲喺度咩？」

當我打開他的袋，嚇得我跌倒地下，袋內中的頭似一個球滾在地上，就在我的眼前，距離不到一尺，正看見細 B 死瞪的眼睛，眼神盡是不明不白，還有張大的口。

「咯咯。」

收屍箱再度傳來清晰的聲音。

但是沒有人可能從裏面發出聲音，收進去的女屍⋯⋯

還是一具斷頭的女屍。

「救命！」

電梯䄂門打開，我們拼命的跑出，頭也不回，一直跑一直跑，好像跑了有十多分鐘，應該遠離了吧？定睛一看，才發現我們都在同一個走廊徘徊。

沒有離開過。

「下樓梯！」

可是，無論我們怎樣下樓梯，最後還是回到同一層，仍是凶案現場的那個走廊，我們第三次回到同一層。

「唔走啦唔走啦。」他們嚇得腳軟，已不敢再走前。

此時，案發單位的燈亮起，屋內沒有封鎖線，什麼也沒有，只是一個普通的單位。

「點解會開返燈㗎？」

「入去？可能仲有人喺度。」

回望房門，是沒有錯啊。而且我認得來某些擺設，的確是這一個單位無誤，到底是發生什麼事？屋內的時鐘，時間卻是回到指着早上七時，跟現在的時間大大差了十多小時。

剛才封鎖的凶案現場呢？為什麼現在會完整無缺？

我仍在滿頭問號，倏地一個少女從我身後穿越到前，她像沒有實體，徑自在梳化坐下。

她跟浴室那一具女屍穿相同的校服。

我們三人面面相覷，誰也不知發生什麼事。

「請問？」

她似乎看不見我，也聽不得到我說任何說話。

這時候，一個男人從屋門進來，他滿身酒氣，一進屋就不斷大叫啤酒。那個女孩沒有理會他，也沒有正面望過他。

「你媽咪呢？」那男人問。

「你老婆嘅事我點知，你做老公自己都唔知。」那個學生妹皺眉頭，不屑地回應。

「你而家咩態度呀？我問咩你咪答咩囉。」

那個女孩似乎受他態度所嚇，轉為軟化說：「咁我唔知嘛。」

「屌你老母，肯定又去咗大陸同人哋幽會啦，淨係識勾佬，返嚟一定打死佢。」

「如果屋企個老公唔係咁廢，連做小學校工都被人炒，個老婆都唔使忙住返工。」

「你講咩呀？」

「我有講錯咩，你有冇搵工？一日到黑淨係識好食懶飛，嘢又唔做，你有冇為到個家出一分力？乜嘢都淨係媽咪做晒。」

「尊重，你哋有冇尊重我呀？」

「你自從校工份工無咗之後，就一直遊手好閒！」

「遊手好閒？」

「係呀我有講錯咩？一直以嚟都係得媽咪一個獨力支撐成個家，你做過啲咩？仲想人哋尊重你？」

「你媽咪勾佬啊，支撐乜嘢成個家！？」他暴跳如雷，青筋湧現。

「你究竟做咩啊？自從同嗰個陳 Sir 去完食飯之後成個人變晒咁，以前都唔係咁，而家成日疑神疑鬼。」

「關你咩事？而家係我嘅錯咩？」

「唔係你咁廢，點會？」

「你講咩？」

「話你廢！」

「你再講多次！？」

這個男人眼睛一紅，似乎有些黑影進入了他的身體，目光顯得兇殘，嘴角上揚，不經意執起旁邊的生果刀，毫不猶疑就往女孩的頸揮刀，一時間血花四濺。

「我……」

她顯然不理解現況，眼神盡是不明不白。

一刀、兩刀、三刀、四刀，插進她的腹部，猶成蜜蜂窩。

他殘忍地將她分屍肢解，他剖開腹部，大腸頓時流出，然後將所有血放光，再逐個器官掏出。

人間的殘酷，莫過於此。

「做咩睄住我！做咩睄住我！」他望着她的眼睛，自言自語地說。

他憤然斬下她的頭，包成垃圾，扔到外面的垃圾站。

這個場景，此時化為煙霧。

只獨下無頭的她，實實在在的站於我們面前。

她是鬼。

「呢個世界係幾咁荒謬……」她說:「無辜嘅人受罪,犯罪嘅人得享長壽,而呢個世界係無任何報應,無神、無人去審判呢啲人。」

「……」我想回應她,卻是喉嚨有點沙啞。

「法律可以審判,天網恢恢。」幾經辛苦,終於吐出這話。

她嗤之以鼻說:「審判啲乜?無人捉到佢,佢下半生只會舒舒服服咁,但乜事都無,點解我要受咁嘅苦?點解要畀人殺害?」

那個無頭女人越發走近,我嚇得連連退後,退至屋外的走廊。

井字型的大廈可以一覽整座大廈的走廊,我這才看見每一走廊都掛着無數屍體,以晾衫一樣方式用衣架高掛他們,包括剛才的警察,還有細B。

少說也有數十具,震撼得難以用語言說話。

「點解……要咁樣做?」

「反正世界都係荒謬,我做事咁合理做咩?」

「呢個就係你殺人嘅原因?」

「我哋走先啦!嗶……」

30

邰哥他們兩個已跑到電梯旁，準備捨我而去，而她正默然趨前，臨我越來越近！

「妳係咪晾衫晾上癮？」

「你講乜話？」

「我問妳啊，妳晾衫上癮要搵人嚟晾？」

「唔公平！點解係我死？」

「咁其他人就抵死？妳同殺妳嗰個男人係無分別。」

「你講咩話⋯⋯」

很好，看來我把她惹火了。

「呢個世界荒謬係因為人有自由，亂用自由去傷害人，人係要管⋯⋯走，你走得去邊？」

我不要命地奔跑，衝到下一層，卻怎樣都是來回同一層。

「你走唔甩㗎啦。」她在背後窮追不捨。

「咩事⋯⋯」

「你都變成下一個啦。」

我趁她不為意，闖進其中一間屋內，躲進房內的一張牀底下。

「踏……」

「踏……」

忽然，一張七孔鮮血的臉在我面前出現，沒有眼珠的頭，盯着我笑。

「救命啊！！！！！」我奔出屋外，不要命地往欄桿一跳。

從五樓高空一撲，我拼命抓住欄桿，吊在五樓半空，差點斃命。力快耗盡，好不容易利用反作用力，左右左右般，將自己如鐘擺的扔回走廊。

站起身，腳不受控……我猛打幾下，大叫：「聽使呀！聽使呀！」喘着氣、忍着痛跑到軨門，準備搭軨離開。

當打開軨門那一刻，只見剛才已經逃走的郆哥，他對着我尖叫，背上就被插上一刀。地下躺着南乳的屍體，身上滿是刀孔。

站着的人，手持豬肉刀，雙眼通紅，瞳孔是墨紅色的，左手持收屍箱。

「我好似殺咗我個女……好似琴日，定前日，唔太記得……」

是那個殺人兇手。

回望走廊，那女鬼早不知去向，消失得無影無蹤，不知是否怕了這個男人。

「去死。」他露出奸笑道，立馬衝前。

我頭腦沒有多想一秒，馬上轉頭就跑。

只聽到後面傳出刀不斷碰撞欄桿的聲音，我跑至樓梯，一下跳過整級樓梯，眼光瞄到他快將追至，心跳已快得不能負荷。

「呼呼。」

我盡全力地跑，全身快要撕裂。

「捉到你了。」

我轉頭，他正在我左面，跟我完全並排。

他一腳踢我飛到軚口，我仆倒在地。

我這次死定，脫離鬼的魔手，又遇上一個黐線佬。

「救命！！！」我發出最後的吶喊。

登。

軚門此時打開，風雨亂襲打着整個屋村。

「需要我收咗佢？收費 $2500，鬼上身 $1000，收服危險男人 $1500。」一把溫柔悅耳女聲從我後面傳出。

「妳係……」我問。

「蔽姓南門，單字蔚，專驅鬼。」蔚藍色的雨衣下是一個秀麗的女生，看樣子是二十多歲，膚色雪白無暇，穿白色外套、藍色冷衫，米白色短褲。

「妳嚟送死？」

「送你上路。」

那隻黐線男人被這句說話挑動情緒，怒不可遏，猛然撲前，擺出凶神惡煞的樣子，直往她身上衝去。

「小心啊！佢有刀㗎！」我急忙大叫，勸她注意。

那個叫南門蔚的女生，臉上沒有絲毫的害怕，仿佛面對這個場景早已千次萬次，她正面迎戰那隻黐線男人，沒有側身避開。那男人迎面就劈，她迅速左手捉住他的手，右手往肚裏一擊，那男人痛得皺眉頭，左手欲護肚。

她左手手肘上勾，狠批那男人持刀的手臂，手開始控制不住，一鬆，刀應聲落地。她右拳往面重擊，完美迴轉踢，正中頭部。

毫無還擊之力。

34

　　她拿出一道符，就是平時電影常見的，不過是白色，纖指一夾，頓時由白色變成紅色，符文是黑色。

　　只把手中的符往上一揮，頓然變成一股洪洪烈火，猶如有生命的如煙花爆炸般散開變成一道火場，隔絕他們之間的距離，那隻黐線男人嚇得馬上退開。

　　「妳……八婆。」

　　「我叫南門蔚。」目無表情的她，右手執起三炷香，左手往香頭輕輕一包，這三炷香頓燃燒起來。

　　「係咩嚟？」

　　「墨斗香，專門將邪靈打成煙燒魂散。」她右手拿香，忽然急步上前，香盡散出猶如墨水的煙氣，似墨非墨，似煙非煙。

　　「三天之上，以道為尊；萬法之中，焚香為首。」

　　那黐線男人見勢色不對，轉身欲逃，速度卻遠遠及不上那個叫南門蔚的女生。頃刻之間，她左手擒住那痴男人的膊頭，右手將香揮向那黐線男人，他不自覺吸了一口，就痛苦地尖叫哀哭，跪地求饒，但是他身體飄出一陣煙，應是鬼魂，靈魂已經有一半像霧水消散。

　　「返去你嘅地方。」

　　她將香灰吹向猛鬼，頓成烈火，鬼魂便燒成灰爐。

那個男人也同時跪在地下，失去意識。

「東洋武士萬歲。」是他最後的話。

「咯。」

又是這樣聲音。

我連忙大叫，提醒那個女生說：「仲有⋯⋯有怪獸，喺嗰個箱入面。」

她轉頭，輕瞄我一眼說：「唔係怪獸。」

本來在電梯的收屍箱，不知何時出現在我們眼前，鐵箱緩緩地打開，伸出一隻血手，再多是一雙扭曲、充滿刀疤的腳，慢慢站起來。

充滿傷痕、已停止活動的身體，開始回春，回復心跳還有傷口恢復。

牠張開紅色的眼睛。

會行走的屍體⋯⋯到底我在看什麼？

本來無意識，那隻女鬼也緩緩飄來，進入了那屍體。

「係殭屍。」她終於回答我的問題。

「殭屍⋯⋯？」

36

　　光是發呆幾秒，已經看不切外面的局勢。那隻殭屍急速奔前，張口露出長牙，往那女生肩上就是一噬。

　　南門蔚？記得應該是那女生的名字，她反應倒快，側身一退，左腳再踏前，手中不知如何出現一把利劍，血紅色的赤劍，晶瑩通透，如同以紅玉所造一樣。她沖劍突刺，劍勢快如閃電，將那殭屍的手臂一下刺穿，流出深紅色的血。

　　牠不忿，忍痛換手再抓，來勢凶凶，她躲身閃避，轉攻下盤，揮劍旋斬，將牠右腳斬斷。

　　「你……咪阻我！」殭屍以剛才女鬼的聲音說。

　　「妖，一隻都無可能放過。」

　　牠大為憤怒，一躍，雙爪齊下，南門蔚以劍格擋，右腳往腹部猛踢，劍再破刺，正中腹部，順勢貼上黃符在牠頭上，一下黃光閃現，炸出火花，那殭屍已再沒有活動能力。

　　「我要報仇！我要報仇！」

　　「佢鬼上身，所以先殺你。」

　　「鬼上身，無意識？」

　　「唔係，不過好難分，裏面嘅自我到底係邊個。而家隻鬼走咗，你殺佢都無意思。」

廟街有殭屍
Zombies in Temple Street

「我唔殺咗佢，難解心頭嘅怨恨！妳自詡正義，點解要阻我報仇，我唔信鬼上身就可以亂殺人。」

「係，鬼上身可能都有自己意識，但你殺咗佢就會上唔到路。你殺嘅人已經夠多，好好受返你積嘅債，仲有一線生機。」

「我……」

「你放心，佢點都有報應，不過唔係由你去決定，你係凡人嚟。」

「我應該點……我應該點……」她哀道。

「我開路畀妳去黃泉路，放下。」

她奠酒地下，唸了一首輓歌，那鬼就漸成白色，脫了紅色的怨氣，變回當初清純的學生妹，化成白煙離開。

「收工。」

「請問……」我上前，想詢問眼前的這個女生到底是何方神聖，但眼神對望那一刻，卻感到一股熟悉感。

「望咩啫你？」她冷冰冰地說。

「我想問……我哋係咪識㗎？」我問。

「無人同你係識。」她一邊收拾地上的道具，一邊說。

「真係？唔知點解我覺得妳好熟面口。」

「呢個就係你追女仔嘅方法？」

「唔係呀……我講真㗎。」

「喔……」

她自顧自收拾東西，已經沒有理我。

「妳走啦？」

「八號風球。」她擺出一副理所當然的樣子。

「……冷淡……」

她瞪了我一眼，直接越過我，邁步往樓梯離開。

「啱啱嗰啲……係咩嚟。」我對着她的背影大叫。

她沒有回頭，而是説：「你見到係咩就係咩。」

「即係呢個世界有鬼？」

「仲有殭屍，多到你數唔晒。」

「殭屍……？走唔到㗎，點都會去返同一層。」

我剛剛就是這樣，怎樣逃也逃不出這層。

「鬼結界，由怨魂而設，會處身由佢而設嘅場景，但佢而家化咗已經無事。」

「真係？」

我無力地坐在地上，剛才驚嚇太過，回過神來發現自己雙腳已無力，倚在柵桿上，想説休息一下。

想不到這一睡，就到中午。

睡覺時，有那個女生的聲音一直在我腦海邊迴響不已。

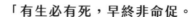

「有生必有死，早終非命促。

昨暮同為人，今旦在鬼錄。

魂氣散何之，枯形寄空木。

嬌兒索父啼，良友撫我哭。

得失不復知，是非安能覺！

千秋萬歲后，誰知榮與辱？

但恨在世時，飲酒不得足。」

我總是覺得那個女生有點面熟。

醒時，只有一張欠單，上面印着她的名字。

南門蔚。

第一街 神秘的舊區

　　星期日的早上，侷促的天氣熱得仿如置身於蒸爐之中，特別是在廟街這些空氣不流通的唐樓。

　　大概三個月前，我搬進這個單位，雖然面向內街，但價錢合理，業主又爽快

　　我不假思索便租下。

　　一百多呎的劏房位，少不免共用浴室和廁所，繁忙時段要排隊，除此之外都沒有什麼問題。

　　樓下有一間腸粉店，叫「肥媽美食」，每日我都會光顧，叉燒腸是最為馳名，皮薄肉厚又多汁，簡直是人間美食。

　　還有一間晚上營業的串燒店，店面是頗殘舊，由一個老婆婆經營，她年紀老邁，卻活動自如、手腳俐落。這還不是最讓我驚奇的事，而是我第一日搬進廟街，她已經跟我打招呼。

　　「壬辰，今日嚟唔嚟食串燒？」

　　詭異是，我從未光顧過這間店，她又怎麼知道我的名字呢？

但廟街不止這些奇怪事。

廟街一到半夜，總會有些奇怪的聲音。

不知道誰跟我說過，天黑請勿在廟街流連，如果有人叫你的話，也千萬不要回應，否則後果不堪設想。

在我眼中這些都只是流言蜚語，哄小朋友的鬼故事，不值一提。

做我們這一行，如果對這些事害怕的話，早就混不下去，試想想，如果你看見屍體就聯想怪神亂力的話，每一天上班你該怎樣渡過？

直到發生那件事之後。

順利邨事件完全扭轉了我的世界觀，原來這個世界是真的有鬼！

那天之後，我放了好幾日長假，算是休息，但幾晚都難以睡眠，一個人窩在劏房，鬱鬱不歡，便決定落街散步，紓解下煩悶的情緒。

已經近乎凌晨三時多，一個人困在廟街，不知為何街上冷清清，卻有一種熱烘烘的感覺，沒有一絲寂寞感，反而覺得許多人在我身旁。

「韓壬辰。」

聽到有人呼叫我的名字，聲音有點面熟，聽起來似一個十八多歲的年輕女生，有種説不出的熟悉感，往左右一看，卻是冷清無人的街道。

「韓壬辰……」

聲音是從後方傳來，我在躊躇該不該回頭。

「韓壬辰……我喺你後面呀……」

一聽到這句，我不自覺打了一個冷顫，全身都冒冷汗。

「後面。」

只覺我的身後越來越寒，就像有一塊寒冰在我身後，我嚇得急腳向前，只想逃離這裏。

我急步向前走，後面那個人就尾隨，聽到達達急促的腳步聲，步伐與我完全一致，透過店舖的玻璃投射，我清楚看到我身後是沒有人的。

更留心一點看，地上竟然有影。

仆街了，先前才遇上一隻無比邪惡的惡鬼，差點喪命，現在又來一隻？

「唔好走呀……」

名副其實的「阿崩叫狗」，越叫越走。

第一街
神秘的舊區

我越走越快，由急步走慢慢變成跑步，穿過整條廟街，來到盡頭，正是馬路口，頓時遇見一輛 909 號紅色的小巴正向我方向奔馳，我沒有絲毫的猶疑，馬上把它截停，一腳就踏上去。

司機倒也識做，等我上車之際，就馬上踩油前進。我透過窗口看見，一個黑影正望着我，露出可惜的表情。

「呼……嚇死。」

車上幾乎滿座，只有尾排那一個位置是空的。

我忍住車的顛簸，好不容易來到尾排座位，是一個二十多歲的女生。

「你好好彩。」我剛坐下，她就跟我説。

「點解？」

「你走得甩……唔係你就畀佢食咗。」

「吓，妳……妳知啱啱嗰個係乜嘢？」

「當然知啦，地縛靈，專食流浪街頭嘅人嘅靈魂，只要你畀佢捉住就會變成佢嘅替死鬼，代替佢直至還清佢喺陽間本身嘅壽命。」

我打了一個冷震，原來我剛剛離死亡是那麼近，果然是禍不單行。

45

「發生咩事⋯⋯」

「不過而家唔使驚啦，已經無嘢需要擔心。」

「都唔係㗎，我都驚⋯⋯話時話，呢㗎車去邊。」

「我嘅意思唔係你唔使擔心，而係我哋唔使擔心。」

這時候，我才發現整車人都轉頭望住我，他們的眼睛沒有眼珠，只有一粒黃色點，「裂」嘴而笑。

「搵到你啦。」

他們露出詭異的笑相，忽然一同撲向我，當我拼命地掙扎的時候，其中一個人的時候碰到我的肌膚，只覺得一陣刺痛的冰冷，但是不到一秒他便把手收回，露出一副痛苦的樣子。

「你⋯⋯你究竟係咩？」

我乘他們不備，打開車窗跳出這輛小巴，小巴剛好駛到九龍城附近，一陣強大的火刺痛我的眼。

無數的霓虹燈⋯⋯招牌？

九龍城寨？

我已經昏了過去。

第二街 荔景邨滅門案

「醒下呀喂，唔好死住……妳死咗我點返去？」

她氣若游絲問：「應承我一樣嘢……」

「係、係？」

「如果你拍拖前，我問你可唔可以陪我去食炸雞，得唔得？」

「得、得，咩都得！」

「韓壬辰！」

我驚醒！

夢裏出現的那個女生，正是順利邨捉鬼的女孩，她們是同一個人，我們曾經相遇過？我們曾經相識？到底她是誰，為何我有這段記憶，卻全然忘記？

那麼上一次為何她要假裝不認識我呢？她到底是誰……

滿頭疑問，又沒法解決。

再次醒來，經已烈日當空，我被陽光曬得合不攏眼。

「行開啦，後生仔。」

　　拖着一車紙皮箱的婆婆，拿着紙皮拍打我的背，嫌我睡在一個垃圾桶旁，阻礙收集垃圾和紙皮。

　　感到極度頭痛，揉着太陽穴的我緩緩站起身，才發現自己昨晚睡在公園外邊的馬路邊，旁邊還有數十塊錢，大概有人當我是露宿者，施捨可憐的發財錢。

　　「有手有腳都要瞓街。」

　　「婆婆，請問呢度係？」

　　「……」

　　我把那些發財錢交給婆婆，她頓時換了張臉，態度變得友善。

　　「呢度咪九龍城寨公園囉。」

　　我也知道，只是有點奇怪……

　　雙指繼續揉搓自己的太陽穴，努力回想昨天發生的事，猶記得自己上了一部小巴，裏面滿載猛鬼，一班鬼想把我吞了，幸好我中途跳車，隱隱約約之間我記得昨天好像見到……許多唐樓？

　　「咩樓啊？呢度一直都係公園喎，除非你返咗去以前啦。」阿婆當我是神經病發作，漸漸拉着紙皮遠離我。

　　昨天是因為太過驚惶，所以看見幻覺？又或者是跳車的時候撞到大腦，產生意識不清？

我沒有結論，反正昨天大難不死已是不錯。

正當慶幸自己好運時，手機響起，一接到電話，對方就厲聲大罵：「你究竟去咗邊啊！今日你要返工㗎！」

糟了，忘了要上班！

當我趕到辦公室，已經是一個小時後。上司對我非常不滿，板起臉、翹着手，左腳敲着地，不耐煩地等我來到，問：「而家先返嚟，有冇電話，有冇請病假，有冇時間觀念，你究竟去咗邊度？係咪想我記你曠工？你連試用期都未過。」

「Sorry，我琴日遇到啲事，今朝昏迷不醒。」我嘗試解釋，但他顯然不接受。

「病？」

「唔係……」

「扣一日人工。出車啦，成車人等你。」

「去邊？」

「命案呀！」

由於九龍東分隊的細 B 已經喪命，這行一向難請人，一時間難以補充人手，只好從另一區的小隊調配一個職員來充當，暫時組成雜牌軍。

經過上一次，郃哥和南乳兩個拋下我一個人臨陣脫逃。本以為他們早已死於黐線男人刀下，但他們卻什麼都沒有，兩個人只是暈倒大堂。

「但我明明看見你們死了⋯⋯」我說。

「晨早流流，咒我們死幹嘛。我們那時只不過⋯⋯嚇得不醒人事。」

幻覺。

我明白到，鬼域之下，幻覺是無處不在。

而自此他們在我面前如喪家之犬，擺不出什麼前輩的樣子，諷刺地對我反而客客氣氣，仿有陰霾。

新入職的叫四雞，樣子似周星馳電影中的王小龜，為人極度囂張，取代之前細 B 的位置。

經過上次後，第二次出車的地點不是別，正是哥連臣角火葬場。

大概是下午四時多，我們來到火葬場，下車一刻，全車的目光都注視我們。

「點解我哋會嚟火葬場？」我問郃哥。

「我都唔知，都係收到指令要過嚟。」郃哥他們明言不知道。

51

「收屍啦當然，仲有啲咩可能。」四雞説。

哥連臣角火葬場，東區大潭峽，座落山上，鄰近四大墳場，分別是佛教墳場、回教墳場、西灣國殤紀念墳場還有天主教聖十字架墳場，都是在山腳附近。

我不喜歡這種萬眾矚目的感覺。

「就係你哋收屍？」一個穿白襯衫，應該是火葬場的食環署職員，問道。

「係啊。」

「我係鄭 Sir，跟我過嚟。」

他帶我們穿過火葬禮堂，來到爐燒部裏面，火葬場內部就如一個工場。

「嘩，呢度好多棺材。」

「係啊，排隊等燒。」

「死咗都要排隊？」

「當然啦，呢度係香港。」

哥連臣角火葬場共有三個禮堂供人火化，正常程序就是將先人的棺柩放在輸送帶上，按下火葬掣後，棺木就會送入後堂。

　　普通人會認為，棺木送入去就是即是火化，其實不然，進入後堂，就是鄭 Sir 帶我們來到的工場，所有棺木都會放置在這裏，等上好一段時間，才送入火化爐。

　　「因為每燒一副棺木，火化爐都要用上一個時到兩個鐘以上，而每日都咁多人死，所以實在要排隊等火化。」

　　哥連臣角是每天處理最多屍體的火葬場之一，平均每日也處理超過三十多具遺體的火化。

　　「咁叫我哋嚟到底係……？」

　　「我哋有一具屍體要你哋收。」

　　「我哋去收？咪玩啦鄭 Sir，呢度咪已經係火葬場，點解仲要收屍，有人死咗咩？」

　　「呢度無人死。」

　　「咁到底係點解？」

　　「有一具我哋燒唔到嘅屍體。」

　　鄭 Sir 由今早開始，接到市民及殯葬商投訴，一號禮堂使用得太久。平時禮堂只能使用十五分鐘，不過偶然超時大家都互相忍讓，可是這天實在太久，三個禮堂有一個出事，足以導致大塞車。

　　他到場巡視，接到工友投訴，屍體燒了三個小時，還是燒不成灰。

「燒唔到？」他當了三十多年的食環員工，從未聽過燒不化。火化爐是由德國進口，採用最先進的技術，如何可以燒不了？

他想到會不會是火力問題，查問機電工程署，發現沒有什麼事，一切正常。

「再燒。」

其時已經大塞車，有一個火化爐被佔用，還有二十多具屍體由靈車運來，他下令再燒。

再來燒了多六小時，還是毫無損傷。

一具燒不掉的屍體。

「屍體畀數百度嘅高溫燒都無穿無爛，都算係我人生第一次見到。」

礙於事情太詭異，他們也苦無對策，因此叫我們將這具屍體先運回公眾殮房，再作處理。

我們下午就是運這具屍體去到西環殮多利殮房，當時職員正在忙着處認屍，沒多閒理會我們，我們放下屍體便打算離開。

「做咩？」其他人見我凝望屍體不走。

「無……我總係覺得有啲唔好嘅事會發生。」

「你係咪諗得太多啊？」

我盯着這具屍焦卻化不成灰的屍體，心中有不安感，卻說不出原因。

是直覺。

直覺是最不好的東西，完全不知道有什麼理由。

「走啦，可能你經歷上次件事先咁多疑啫，唔係件件屍都會咁㗎。」郜哥對我說。

「唉，驚就唔好做呢行啦。」四雞嘲笑說。

「要走啦。我哋有下一單案。」南乳在駕駛座呼叫我們。

在處理火葬場時，又接到下宗案件。

我們幾個就這樣把屍體遺在殮房。

那時還不知道，那不止是屍體。

天色昏暗，我們一行四人趕到荔景邨，已是晚上十時左右。

與順利邨一樣，都是初代的公屋單位，燈火闇黑，有一種陰陰森森的感覺。

當踏出䡈門，只見地上佈滿血鞋印，空氣濃罩一陣屍臭味。

　　越過重重的封鎖線，當我們進入屋內，情況只可以用慘絕人寰去形容。整間屋沒有一個地方沒有血跡。聽聞全屋一家四口，皆被兇手殘酷地釘十字架。把父親母親家姐妹妹，首先用迷藥迷暈，用膠紙封住他們的罪，讓他們不能出聲，然後用十字架的方式釘他們在牆上。

　　最終他們痛苦得只能求饒，哀求兇手將他們殺死，牆上有數之不盡的血痕。

　　「嘩，究竟要幾冇血腥嘅人先會做得出咁樣嘅事？」四雞說。

　　「咁兇手捉到未？」我問。

　　「捉到，喺樓下啦。」

　　「做咩咁大仇口要將全家人殺死晒。」

　　「其實好似只係感情糾紛，女嘅想同男嘅分手，就導致男嘅性情大變。」

　　「咁都唔使殺死晒全家人嘅，其他人係無辜㗎。」

　　「做嘢啦，我哋係嚟做嘢，唔係嚟評論㗎。」

　　「你哋以為釘十字架奇怪咩，仲恐怖嘅嘢你都未見過。」

牆上的四具遺體，沒有一個是完整無缺，四具都殘缺不全，不是臉上少了一塊肉，就是胸口少了一大缺肉，不然就是整條腿沒有了。

「到底發生咩事，點解會咁。」

「應該係煮咗。」

「煮咗！？」

「搵到廚房嘅煮食煲裏面有啲煮熟咗嘅人肉、殘肢，所以推斷兇手應該將受害人殺死之後切割咗佢身上嘅肉嚟煮，然後食咗。」

有同事忍不住忽然嘔了起來。

我們小心翼翼將四具屍體分開四次放進鐵箱，運上黑箱車，整個過程花了大概一個小時多，才把凶案現場所有遺體、殘肢、碎肉都運走。

「咁多具屍體，其實要多幾隊囉，得我哋點夠。」四雞一邊抱怨一邊道。

這是生平我第一次贊同他的說話。

好不容易終於把現場清理乾淨，所有屍體都收好。

「呢次無頭要搵啦？」

「唔使細B再去啦。」

他們兩個格格大笑，我卻聽得心裏不舒服，顯得他們人格有問題，明明細 B 已死，某程度更是被害死。

當我們準備開車之際，不遠處卻有一個男人站着監視我們，他雙手被反鎖，身旁有許多人監視他，他一邊用深邃的眼神望住我們。

「走啦，咪理。」

「佢可能係兇手嘅。」

「關我哋咩事，又唔係我哋去處理。」

「開車啦！」

在大家一致贊同要開車時，卻久久不開車，駕車的四雞卻説：「車尾箱個門開咗。」

「冇可能㗎，呢度得我哋幾個，都冇人搞過個車尾箱，我記得係鎖得好實個嘅。」

「係由裏面打開咗……」

黑箱車的車尾如同貨櫃車一樣，不過從裏面是有鎖可以打開，方便同事多時也進駐在內，設計仿似靈車，但今天沒有多餘的人手，只有我們四個人，現在四個人都在車裏，車尾沒有任何人，只有載着四具屍體的鐵箱。

「嘩！嘔啊。」四雞大叫。

那個男人遽爾嘔哇起來。

「嘔有咩好睇啊。」

「唔係嗰⋯⋯」

他顯出痛苦的樣子，其他人便上前去幫助他，誰知他一直嘔，喉嚨好像哽住什麼，其他人想幫助他吐出來的時候，他卻無法呼吸，不停咳着，痛苦的想吐出什麼來，最後，他用力的一吐，是一隻人類的眼珠從他的喉嚨飛奔出來。

人類的眼珠，只有一隻，還是完整無缺，尾部連着一些神經線。

「係眼啊！！」

他又再度露出痛苦的樣子，又嘔起來，然後是一隻手，從他的喉嚨伸出⋯⋯

那隻手像有生命似的，從嘴裏破繭而出，手指緩緩從他的喉嚨掙脫而出，充滿吐液，手指一指一指夾抓住他的嘴唇，以此借力拉扯，他的嘴巴承受不了這麼龐大的手掌，開始撕裂起來，裂成兩段，他痛苦地尖叫。

其他人看得目瞪口呆，完全不知所措，有的嚇得當場哭了起來，好些直接暈倒。

好不容易，吐出一隻活生生的手之後，他以為已經完結，誰知隔不到兩秒，他又抱着肚臍，吐出一束黑色的紫菜……不，看清楚一點，這不是紫菜，而是一把秀長白的女人頭髮……連着頭皮，帶有絲絲血液。他的眼神充滿恐懼和絕望，然後就是不同位置的內臟，還有眼睛、嘴巴、鼻。

我們站在側邊，嚇得不能自我，算是愛莫能助，然後由他一直地嘔吐，他竟然能嘔出一個人來，那堆嘔心的人體組織，逐漸互相聯合起來，成了一具個人形的屍體。

「畀返條命我哋。」

聲音是從那堆東西傳來。

東西結合起來變成一個兩頭的怪物。

「畀返條命我哋。」

有兩個穿白衣的女孩手拖着手，她們的樣貌正是跟剛才那兩個受害的女生一樣。

那個男人嚇得腳軟，眼神不可置信，倒在地上，褲子頓時深藍色一片，滲出陣陣尿酸味。

「走啊……鬼啊！！！！！！」

沒有人敢再接近他，全部人四散遠走，各自逃命，幫助他的一個也沒有。

直至一把女聲出現。

那好聽的女聲。

「化為冤魂害人者，必在地獄遭受殺害之獄。」

她背着藍色小袋，身穿白色連衣裙。

又是那一個女生，每一次有怪事發生，她總會在場，到底她是何方神聖？

「妳係邊個。」那隻女鬼說，聲音是疊聲，似是有兩個人在說話。

「南門，名蔚。驅魔師，油麻地驅魔工會。」

「油麻地……關妳咩事？你明我哋嘅感受咩？我哋乜都冇做過，就要無辜受苦？」

「唔明。但我只係要勸你哋唔好作惡，受苦並唔係作惡嘅原因，或者免死金牌。只要作惡，就必有懲罰，回頭是岸。」

她們不屑地嘲笑道：「懲罰？報應？如果呢個世界有報應嘅話，點解佢會殺到我哋？吓！？」

他和她原是一對情侶，不過和世間許多情侶一樣，感情淡了，時間久了，性格和際遇的碰撞下，當沒有人再願意解決，感情便如一潭沒有生機的死水，滋生出許多問題來。

他一直性格火爆、衝動，痛恨她身邊一切的異性朋友，連她跟男性朋友談一會天，他也會妒忌得不可救藥，狠瞪對方，甚至打電話去警告對方不要對自己女友有什麼妄想。

感情甜蜜時，一切都不是缺點，但時間長了，她忍受不到他這種強烈的控制欲，提出分手。

「你唔好後悔今日所講嘅說話。」

「我唔會！」

他本是住在她們的家，家中還有她妹妹。那一日，她們回家，只看見妹妹全身赤裸，被人綁着。

他強姦了她，她不願再面對他，事件就此罷了。

「係你個妹色誘我！」

他嘗試挽救和解釋，那一天跪在她家的門口，可是毫無作用。

「妳一定有咗第二個男人！！！！！」

即使你死了，我也不會流下一滴眼淚！

她這樣說。

他的眼睛紅了，如同殺女兒的男人，有什麼在他背後一入，進了他的身體。

　　他掏出利刃，挾持她母親走到單位門前，要脅兩姐妹開門，不然就殺死她們的母親。

　　她們救母心切，把鐵閘打開，他即時向她胸部直刺，再橫斬她的頸部。他再以刀刺破她的臉和咽喉，下刀狠心。

　　「只有死人能夠守秘密！」

　　之後，他將所有怒氣發洩在她們身上，把全家都殺了。

　　「如果呢個世界有神嘅話，點解唔阻止佢殺害我哋？如果呢個世界係有神明嘅話，點解好人受苦之後，惡人可以逍遙自在，乜懲罰乜嘢事都冇發生？呢個世界係荒謬，冇報應，冇懲罰，要罰就要靠我哋自己一雙手去罰！」

　　「我答唔到妳哋，佢係罪有應得，不過唔係你哋去報，報仇只會沾污你哋嘅手，唔使你哋出手。」

　　「無可能，唔殺佢係解唔到我嘅心中嘅怨氣。」

　　説罷，她們便飛身一撲，直衝那男人身上，南門蔚卡套中抽出白符，合在掌中，唸道：**「三清護體。」**

　　那男人身上現一個白色的護罩，阻擋着她們接近男人，不能下毒手。

　　「你幫住佢？！」

　　「唔係，我係幫緊你哋。」

「廢話，如果係幫我嘅話就即刻讓開！」她們的面越顯得猙獰，青筋暴漲，身體四周滲出森綠的怒氣，且越變越多。

南門蔚不急不忙，拔出一把血紅色的劍，迎身一擋，側身護着那個男人，轉頭對他大叫：「走！」

那男人才如夢初醒，拔腿狂奔。

「屍體拎走！」忽然南門蔚轉身對我們四個大叫。

其他同事已經呆愣，全身抖動，反應不到，我只好問：「咩意思？」

「將佢哋嘅屍體帶離呢度，如果唔係屍氣大變嘅話，會化身成殭屍，到時麻煩！」

那女鬼纏身，南門蔚揮劍迎戰。

他們在前面交戰，我便唯有照她的吩咐，說：「我哋快啲走啦！」

他們三個卻沒有任何反應。

「你哋聽唔到佢講嘢咩？」

原來他們已經嚇到腳震，實在沒有任何行動的能力，我只好一個人，拖着兩個鐵箱，緩緩地拉住它離開，但是誰人都知道，人死之後的身體是最難移動，因為是最重的。何況我一個人要拉兩具女屍，出盡吃奶的力，也只是能緩緩地拖行。

「快啲走！」

「我夠知啦，但係好鬼重呀嘛！」

好不容易將他們拉到走廊處，進入較內我已經滿身是汗，喘氣乏力，想繼續拖的時候，突然鐵箱裏傳出一陣敲打聲。我以為是自己聽過，不再理會的時候，又傳來咯咯的敲打聲，這次顯得十分清楚，絕對不會聽錯。

敲打的聲音越嚟越急促，而且是兩個鐵箱都同一時間敲打，我嚇得要命，將鐵箱扔在地上。

忽然，燈光一滅。

「嘩。」

我以大叫來掩飾自己的懼怕，剛好在一下尖叫之後，燈光又回復過來。

「嚇死，都係自己嚇自己啫，冇事嘅。」我拍一拍心口說。

「叮。」此時到達一樓平台，我拉着兩個鐵箱，準備出較門的時候，卻發現手中的兩個鐵箱不知為何傳出一陣氯氣，不，是綠氣……

就像水滾冒出煙的時候一樣，源源不絕地有綠色的氣噴出，整個情形十分怪異，我背脊已經冷汗盡出，心想這下真的不妙了，我從未看過一個人類的屍體會噴出深綠色的沼氣，而且還不知道這些氣體是有毒或與否。

「死啦，死啦死啦……走啦，走啦走……」我口中唸唸有詞，已經驚慌得不知道自己在説什麼，只懂拚命地拉着兩個鐵箱越走越快。

「嘰嘰……」

「嘰嘰嘰嘰……」

我的血液高溫地翻滾，耳中原來聽不到什麼，可是經過一段時間，我隱約地意識到，有些聲音正在傳出，雖然微小薄弱，但是我肯定有什麼聲音從箱中傳出。

「嘰……」

我拚命地拉着在走廊用力拖行，直到完全動不了，就像箱子跟地板生了一根釘，牢牢地固定在原地一樣。

我回頭一看，地上盡是五指抓痕，深刻且入地，拖行好一段時間。

「　……」

此時有五隻手指從鐵箱中穿出，深紫色的指甲鋒利而且尖長，比人類的指甲足足長了三吋左右，尖銳得就像一把小刀。

有兩秒空氣就像凝固一樣，我完全定格在此，眼睜睜地看着那個怪獸一般的手，把整個鐵箱如撕開紙張一樣，輕易地刮出數十條抓痕，不消一會就弄破，另一個鐵箱也是如此。

第二街
荔
景
邨
滅
門
案

當我看到黑色的眼睛⋯⋯是整個眼睛都是黑色，沒有一點眼白的女人在鐵箱中如蜘蛛一樣爬出來，長髮披面，皮膚腐爛，頸上有數十條蟲，能清晰地看見蛆蟲在傷口旁爬來爬去，侵蝕腐爛的肉，她露出怪異的微笑。

黑色的眼睛。

殭屍。

糟了，已經屍化。

另一個鐵箱也是如此。

兩隻「蜘蛛」不約而同地望着我。

我轉身拔腿就跑，沒有一絲疑慮，我幾乎用盡身體所有力氣地逃走。

背後那種恐懼壓迫感大得，我仿佛慢一秒就會被撕成碎片。身體的本能告訴我，後面的危機極其恐怖。胃部極度翻痛，仿如下一秒要嘔。

全新的細胞在此刻激活起來，迫使我跑得咁快。

撻撻撻撻撻。

耳朵聽到有一種速度很快的爬行聲，在上方及右方傳來。

「救⋯⋯救命⋯⋯」

67

我想大聲叫救命，卻發現太過驚惶的時候，人是嚇得不能説出什麼，聲若小雞呼叫。

忽然，一個女人頭在天花吊下來，雙手捧着我的頭，我們之間只餘一尺，可能清晰地聞到她身上的惡臭的屍體味，還有冷冰冰的觸感，還有看見她黑色正腐化的眼睛。

「死啦。」

存亡之秋，我吐了。

「喀喀然……」

我完全忍受不住，一下就躺在她的臉上，嘔吐物嘩啦嘩啦如下雨的淋得她滿頭都是，我可能看見晚飯中的菜心殘渣。

「啊……Sorry。」

「去死啦！」

「咯。」

那隻女鬼進了殭屍的身體，仿如重生。

「呢種感覺……真係好，好似充滿力量，可以做一切嘅事……」

我從未見過如此恐怖的眼睛。

第二街

荔景邨滅門案

　　她緊捏我的頸，我感到頸骨開始碎裂，氧氣盡缺，相信不出兩秒我就死亡。

　　眼前浮過……是南門蔚。

　　我跟她進了一間炸雞店……

　　她好似……充滿期待的眼神，仿彿這件事等待已久。

　　臨買餐的一刻，我收到一個電話……

　　「呼。」

　　她的手忽然鬆開，我才發現不是鬆開，是被南門蔚一劍斬斷，她及時趕到，我大口大口氣地吸，差一秒就死了。

　　「都話唔關妳嘅事。」

　　「我係唔想妳哋再犯錯！未成大錯前，回頭！」

　　女殭揮一下斷臂，馬上長出新的手臂出來，撕破身上的傷口，灑出血液。

　　南門蔚旋劍以擋，劍身沾血，冒出濃煙，看來人體碰到一定非死不可。

　　女殭指尖沾血，急腳趨前，迎面一抓，南門蔚轉劍橫擋，順勢架劍她的指甲，壓下雙手，腳踏劍一躍，狠踢她的頭部，再一個轉身踢，紅殭不禁退後數步。

　　「去死啊！！！！！」

她們大怒，雙爪圍內，欲以抱殺一招了解她，她後退一步，誰知此時紅殭分出另一隻，如同連體人一樣，她來不及反應，中了紅殭一拳。

「無事嘛……」

她們再度以這招，漸漸沾了上風，四手四腳，實在難以招架。

「使唔使幫手啊。」

急忙應招之間，她扔出小包，對我大叫：「用冰符！」

打開，裏面全是符咒，我掏出其中一張白符，如同自動一樣，雙指夾符，只感身體肌肉有記憶如何去行一樣，內裏有一道氣注入符中，變成藍色。

「貼喺佢身上！」

「啊！」我顧不得危險，全憑熱血一下衝到那女鬼背後，一符貼在她的身上。符在身上，迅速擴散冰，將她身體大部分變成冰。

南門蔚執着劍，右手執住一道符。

她將炎黃色符的貼在劍上，頓時畫出一道閃電，她作拔刀狀。

「萬火鳴雷。」

她右腳急蹬，奔如飛雷，劍光變成閃電形狀，劃破一道Ｚ字形轟的光雷，轟的一聲，瞬息之間一下斬破那女鬼兩個頭，削鐵如泥，下一秒已瞬到我身前。

「對唔住。」她貼符在她們的身上，淡出點點白光，如螢火蟲一樣。

「究竟公義喺邊度？」

「我都唔知道……但……受傷唔係可以傷害人嘅理由。」

「唔報仇，點泄我心頭大恨？你哋呢啲自詡正義嘅人，先係最唔正義！以仇報仇，根本天公地道。」

「殭屍只會墮入更錯。」

「如果力量可以幫我報仇，又有咩所謂？」

「呢種力量只會令你失去自由。」

「自由於我究竟有何用？」

說話之間她已經煙消雲散，化成一縷輕煙，消失在我們眼前。

「丹旐何飛揚，素驂亦悲鳴。

晨光照閭巷，輀車儼欲行。

蕭條九月天，哀輓出重城。

借問送者誰，妻子與弟兄。

蒼蒼上古原，峨峨開新塋。

含酸一慟哭，異口同哀聲。

舊壟轉蕪絕，新墳日羅列。

春風草綠北邙山，此地年年生死別。」

她唸起什麼詩詞之類的東西，不知為何，這是我第一次聽到，卻有親切感，仿佛以前在哪裏聽過。

「你望咩？」她唸完輓歌，收拾東西的時候，看見我正發呆的望着她。

「無……我……我哋其實係咪識㗎？」我問。

「唔識。」

「真係？」

「咁我問你。」她忽然靠前，我有點手足無措。

「咩……？」

「你除咗知我叫南門蔚，仲知啲乜嘢？」

「呃……無啦。」

「咁咪就係，你根本唔識我，係你諗多咗，唔好再用呢種手段呃女仔。」

「但係我真係覺得我哋識㗎……唔知點解，我好似唔記得咗啲乜嘢好重要嘅嘢咁。」

她收拾好所有的物品，轉身掉頭就走，沒有再理會我。

「喂……等埋我先啦。」我心中有千百個疑問想問她，便急步上前，一直尾隨住她。

「等等啦，我哋可唔可以傾一陣？」

「我冇啲咩想同你傾。」

「我有！到底呢啲係乜嘢㗎？點解我一直都會遇到？」

天阿，到底是什麼鬼怪我會一直遇到。

「你覺得係乜嘢㗎，經歷咗好幾次你都仲未知道發生緊乜嘢事？」

「鬼……但點解係我？因為我邪？」

她沒有說話，等同默認，神情好像再說我這個答案是理所當然，一個三歲的小朋友也懂的。

「咁另外今日見到嗰啲又係……係殭屍？」

73

「恭喜你視力正常。」她目無表情地説，嘲弄我的感覺更加強烈。

我們乘坐升降機回到地面，經過我的幾個同事仍然坐在路旁，面青口唇白地休歇，本想安慰他們，但她走得急快，我怕跟失，只好先置他們於不顧。

「喂，咁妳係咩人呀？」

「我係咩人關你咩事？」

「咁妳話晒都救咗我兩次呀嘛，係我嘅救命恩人，我點都應該要多謝妳。」

她忽然剎停腳步，轉身凝望我，不發一言。

「做咩？」

「你話要多謝我嘛，我等緊你嘅多謝。」

我發現這個女生很不好惹，非常人一般，難以接近。

「你唔講咁我走。」

「多謝妳。」

「咁我走得未？」這個句子嚴格上是一個問句，但是她已經不等我的回覆，掉頭就走，毫不留情面。

我要再説一遍，這個女生，真的非常不好惹。

不知道是不是錯覺，她好像⋯⋯不太喜歡我，又或者是我做了什麼事惹怒了她。

但不會啊，她跟我說過，我們是不認識的，初次見面也沒有什麼事發生，頂多我是麻煩一點，經常要她拯救，但這又不是我控制到，應該不是。

莫非，真的如我所想，其實我們早已認識，而她因為生氣，所以才假裝不認識我？

應該只有這個原因。

或許這樣，我就可以找出經常覺得自己忘記事情的原因。

「喂！」

「做咩？多謝你都講咗。」她顰眉，眼神盡是不解。

「咁我可唔可以請妳食一餐飯，當係多謝妳？」

她停頓數秒，這是我第一次看見她如此的眼神，就是從果斷變得有點遲疑，仿佛期待我說出什麼答案。不出數秒，又回復神態。

「唔使。」她答得果斷，不帶任何感情。

是她這個人難以流露感情嗎？

「點解呀？」我追問，鍥而不捨。

「唔需要就係唔需要，無點解。」

我失望地留在原地，垂頭喪氣，她忽然又想起什麼，折頭返回。

「妳改變主意啦？」

「你印堂發黑，雙目無神，陰氣入侵，唔想死嘅話，我贈你一句：『記住，千祈唔好經過九龍城。』」

「九龍城……？」

「戴住佢，當佢有異樣事記得要走，可以保到你一陣命。」她遞給我一道三角形的黃符，上面有些珠筆所寫的咒文。

「點解？」這句都還來得及問，她已經坐在紅色的電單車，一陣引擎聲響過，飛奔離開。

我不明白為什麼是九龍城，不是深水埗、荃灣、灣仔，不是什麼其他地方。

但說實話，這個地方我平常不會經過，而且那裏算是三無之地，不是有意去買泰國食材或想吃泰國菜的話，也不會經過那裏。

我不明白她的說話，也覺得自己不會到那裏，漸漸把這句拋諸腦後。

當然，我沒想過，九龍城的危險是在哪裏。

THIRD STREET
第三街

屍

鬼

猛鬼廢校

ZOMBIES IN
TEMPLE STREET

第三街 猛鬼廢校

那天之後的某個星期六，由於很久沒有跟朋友相聚，幾個中學朋友便約了一起到樂富的餐廳吃飯。

「你而家做咩？」飯席間，他們問起我的職業。

「收屍隊。」

「哈哈，咁我係收 B 隊。」

「我係收 A 隊。」

他們幾個一聽到這個職業，以為我開玩笑，當我澄清後，他們才哑嘴作聲，嘖嘖稱奇。

「嘩……」他們的口張開成一個大洞，久久不能閉合，過了一會才開口說：「哦咁樣人工咪好高？」

「傻啦點會高，某啲工種先高，例如花店都幾好搵。」

「咁你每日咪見到好多屍體？」

「有無啲咩古怪嘢講嚟聽下。」

「鬼，算唔算？」

我將近幾日發生的古怪事，連同那個女生的事都一併告知他們，他們各人有些聽得頭頭是道，有些則搖頭表示不相信。

「太浮誇。」

「反正係真事，信不信由你哋。」

「不過好似好耐冇見，有一段時間你好似都去咗做唔知乜工，問你又點都唔肯講⋯⋯」他們説。

「有咩？幾時嘅事？」

「早一年嘅事咋嘛。」

「早一年嘅事，我其實完全唔太記得。」

「你撞傷咗個頭嘛，慢慢啦，好快記得返。」

「嗰時，淨係記得你講過一句説話，你話識咗一班人，不過你無好詳細咁講係乜嘢人，淨係話⋯⋯佢哋係你嘅屋企人。」

腦海忽然浮起幾個面孔，但我説不出他們的名字，有一種熟悉感，但是莫名其妙地陌生。

我確是忘記了一些很重要的事情，但是卻怎樣都想不起。

AV 仁……

這個名字很熟悉……

「喂，做乜嘢呆咗咁樣？」

「無……」

「飲酒啦。」

酒過三巡，各人說坐得腰有點痛，其中一個人就提議不如去按摩。

另一個人說有一間相熟的按摩院，可以去試一試。一班人乘車往按摩院去，我也是糊里糊塗被人帶上樓，隱隱約約知道我跟朋友們都分開房，斷斷續續按了一會，過程是怎樣我都不太記得，因為我睡得像一隻死豬一樣，也是技師拍醒我。

「人呢？」

「咩人？」

「我啲朋友。」

「喔……佢哋走咗先啦。」

「吓……咁仆街？」

「而家開始正戲啦。」

「咩正戲？」

她雙手交叉，拉開身上的白衣按摩技師衫，露出鮮紅色的內衣。

「做咩……？」我問，下意識拉緊自己的褲子。

「唔好玩啦，嚟得呢度，唔通你以為真係按摩啊？」

「我係啊！嗰班仆街仔帶咗我去邊度啊。」

「唔使扮啦，呢度又無人。」

她開始脫下褲子，也想脫去我上身的。

「唔使啦真係唔使啦！」

這時候，我不知為何感覺到，胸口位置有點微溫，暖暖的。

「喂！你唔好玩嘢喎，唔好敬酒唔飲飲佛酒！」

「唔得啊，我飲開橙汁啦。」雙方爭持不下，她氣得打了我一巴掌。

「從來都無男人喺我面前係會唔除褲！」

「妳當我唔係男人，Sor！」

她氣得手震，一時間脫下自己所有的內衣。

寬衣解帶後，她的兩個巨乳房位置，印着兩張人臉。

清晰且詭異的人臉，一男一女，如胎記般在胸部。

兩張臉都對我淫笑，笑容令人心寒。

這時候，胸口極熱，我脱下衣服，才發現不是什麼，原來是南門蔚給我的符燒着了。

掛在頸上的黃符無緣無故燒起來。

記得南門蔚曾經説過，這道符可以在我有危險的時候救我一命！

「呢度邊度？」我驚問。

「九龍城，你嘅葬身之地！」

「救命啊！！！點解我永遠都撞鬼！」我急急大叫求救，但為時已晚，她雙手緊捉住我，慢慢爬上我的身體，如蛇一般嘔心地蠕動，直到我們兩個面對面，我終於看清她的樣子，看見她的眼睛是全黑色，沒有眼白，

涼風陣陣，陰風撲面，我已經頭昏腦漲，雙手無力。

「我九龍城大波萍都唔係浪得虛名，竟然咁對我。」

「對唔住……」

「無用㗎。」

「救命啊！我唔鍾意女人㗎⋯⋯」

她張開口，露出腐蝕破爛的牙。

「交換⋯⋯」

「交換咩啊。」

「等咗好耐，喺度，每日都會有無數唔同嘅男人上釣。無一個男人係唔好色，每一個都中招。一日最少三個靈魂，我就嚟吸夠十個靈魂，就係差你！點解你唔上當，點解！」

我看見她情緒稍為激動，有機可乘，為拖時間，我繼續問：

「吸夠十個靈魂咁又點？」

「可以搵嬌我妖投胎。」

「嬌我妖？乜水。」

「你一個普通人類唔識好正常，但喺呢區好出名，佢係九龍城寨嘅話事人，幫到好多孤魂野鬼投胎。」

「投胎唔係靠呢啲㗎嘛，一個作惡多端嘅鬼，點會可以咁就投胎⋯⋯同埋⋯⋯」我想了一想之後問：「九龍城寨無咗好耐啦。」

「人間嗰座就無咗。」

「咩意思？講多啲嚟聽下。」

她眼睛一眨，似明白什麼，怒道：「你唔使再喺度拖延時間，無人會救到你！死啦！」她一口親過來，我的初吻就這樣喪失了，臨死前殺你的給你一個初吻，是否大不幸中的小幸？

過了數秒，她帶點疑惑地望着我。

「點解嘅？」

「喔……因為我新手，唔係好識打車輪，法式嗰啲我一啲都唔識……」

「唔係呢樣！點解我吸唔到你嘅靈魂！？」

「係囉，點解嘅？」

她再奮力吸一次，還是什麼事都沒有。

呼！

門忽然被轟破，後方扔出一粒東西，仔細一看原來是一枚古銅錢，不偏不倚貼在她的額上。

「邊個敢壞我好事！」

門外是一個高瘦的身影，定睛一看，他身穿黑色皮衣、牛仔褲，正吸着煙，眼神和髮型有點像《東京攻略》中的梁朝偉，年紀大概四十來歲。

「咳……」他呼出煙後，笑問：「叫雞啫，使唔使攞命啊？」

「關你咩事？」她問。

「對唔住，關，因為我係驅魔人。」他彈走煙頭。

銅錢一下回到他的手中，原來他雙手裏面滿是銅錢，一合，再展開，神奇地變成一把銅錢而成的劍，揮動之下，隱隱洩出一些墨水在空中，一揮，墨水劍風神現，如電影的 3D 特效，捲動不已。他橫劍一揮，空中畫出一筆水墨，如龍捲風將那隻女鬼斬滅，連說話的餘地也沒有。

我被這一幕嚇得目瞪口呆，直至他伸手扶我起身。

「大叔………多謝你。」

「唔使唔該。」

觸手一刻，只感到他的手有許多繭，而且體溫有點低。

「你做咩一個人喺度？」他皺眉問。

「……我同朋友玩完，但有啲醉，畀佢哋帶咗嚟……」我搔搔頭道：「咁點解你會喺度？」

「出火囉。」他答得簡潔而有力。

「……」

「男人出火好閒啫，你青頭仔唔識世界我唔怪你。」

「……你就青頭仔。」

「我當然唔係啦，我好有經驗，如果你要介紹同我講，包唔會撞鬼。」

「我都話我係畀朋友帶……」

「得啦，明啦。」他眨眨眼，一副「我明白」的樣子，笑淫淫道：「男人嘛，被迫嘛，我明……總之由我介紹，一定唔會差，下次我帶你去威，包證又平又好玩。」

「我真係……」

「明啦，你有咩都介紹我，好無？」

我已經放棄解釋。

「不過好彩你今次遇到我，如果唔係你死咗啦。」他說。

說實話，他又的確是我的救命恩人，怎樣也應該跟他道謝。

「多謝你。」

「客咩氣，總之下次叫雞你嘅。」

「……」

穿好衣服，我們就起身離開這一樓一地方。到樓下時，他伸展一下手腳，説：「唉，今晚Joey真係好手勢，舒服！」

他這個樣子，跟我印象的驅魔人形象完全相反。

「你去邊？」

「前面……搭巴士返去。」

「我都係喎，順路一齊行。」

凌晨時分的九龍城，空無一人，風颼颼吹過凄冷街道，獨有兩個身影在地上走。

由於剛才的經驗有點恐怖，我不時回頭，深怕有鬼在我的背後。

「唔使驚啦，唔係隻隻鬼都會無啦啦出現搞你。」

「頭先嗰啲……係咩鬼？」

「棄靈。」

「棄靈？」

「地縛靈。」

「點解佢哋要喺度害人？」

「每個人嘅壽命都注定咗，寫咗喺生死簿上面，凡自殺、被謀殺者，因陽壽未盡，佢哋只能變成孤魂野鬼，重複生前嘅動作，一次又一次，一直死。而唯一可以解開嘅方法，就係搵一個替死鬼。」

「喔……原來係咁……所以佢講咩嬌我妖投胎……」我終於想通之前的怨靈，牠們的行為到底代表什麼。

「你唔會想知，總之有個好猛嘅鬼，知親都死得好慘。」

聽到死得好慘，我心慄跳一下。

「唔怪得佢叫我唔好嚟九龍城區，睇嚟呢區好邪……」

「邊個？」

「一個同你一樣會驅魔嘅人，不過靚女嚟，佢提過我唔好嚟。」

「傻啦，佢肯定無料，普通人根本唔使怕呢啲。」

「佢係勁……咁唔怪得我上次見到個城寨。」

我想起上次紅 Van 的經驗。

「城寨？」

「嗯，我上次界嘅鬼帶咗嚟，我估都係啲幻覺之類。」

「你……入咗去？有無見到啲咩？」

他的神色轉為凝重，氣氛變得沉重。

「無，就係嗰個九龍城寨？我都無詳細睇，好快醒返。」

他忽然收起嬉皮笑臉，認真地問：「你企喺度，唔好郁。」

此時月光灑落，他抬起我的頭，仔細觀察我的眼睛，數十秒後，皺着眉頭問：「你……話你叫咩名話？」

「我無講過。」

「咁你叫咩名？」

「韓壬辰。」

他若有所思，一會後哈哈大笑。

「哈哈……估唔到。」

「笑乜？有乜咁好笑。」

「無……我諗唔到，我咁都遇到……我明啦……」

「乜啊，你可唔可以講得清楚少少。」

他低頭思索一會，說：「後生仔，有無興趣食一餐飯？當係你還返畀我嘅救命之恩。」

89

「可以啊，但……」

「喔，Sorry，我未自我介紹，我叫伽樓一，係九龍城區嘅驅魔師，得閒嚟搵我。」他遞上卡片道。

他的笑容果然有七成似梁朝偉，覺得他有點帥，所以當下就答應了。

交換好電話後，他便離開，只是眼神好像有許多盤算。我心中有種不妙的感覺。

乘車回家的時候，我仍然不時打冷震，有點毛毛的感覺，忽然想起，他沒有告訴我，到底為什麼會這樣。果然，他扯開話題有一手。

那一晚，我又作了一個夢。

夢中，我在一間狹小的房間，跟一大班人打邊爐，過程中只有喜樂和開心。

好像是慶祝我的生日……

那個南門蔚還在。

她勉勉強強跟我説一句：「生日快樂……」萬般不情願似的。

只是，現實之中，我不記得他們。到底……到底是我創造的記憶，如南門蔚所説，我們真是不認識，還是她有所隱瞞。

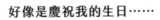

可能，一切是我想得太多了吧。

第二天下班，由於當天全日都沒有出動，精神奕奕之下，我便按照先前所說到九龍城找伽樓一。

他的辦公室位於泰國小食區的附近，在唐樓二樓，一進去就是滿佈水墨畫、山水畫，少說也有數百幅，活像一座水墨畫的文化館。

門口接待處坐着一個八十來歲的老婆婆，由我進門口起，便一直死盯着我。

「我想搵……」

「量體溫。」

量好體溫後，我又問：

「我想搵……」

「QR Code。」

QR Code 後……

「我想搵……」

「唔得閒。」

「唔得閒？」

「你邊位？伽樓一師傅好忙，唔接受訪問。」

「但係佢叫我㗎。」

「年中有一百幾十個記者都係咁講㗎啦。」

「我真係唔係記者。」

「佢忙緊法事，唔得閒。」

忽然，房中傳出一陣竊喜聲……聽清楚一點，正是伽樓一的聲音，似乎跟一個女人嬉笑怒罵。

我跟那老婆婆對望一下。

下一秒，我就衝進房間，那個老婆婆尾隨欲阻止，可是年紀老邁，追趕不及。一打開門，只見他正擁着一個穿灰色包臂裙的女人，她坐在他的腿上，二人互餵食物。

「你嚟咗啦？」他笑說。

「呢啲就係法事？」我問剛好趕到的老婆婆，她擺出一副「我無眼再睇」的表情，就轉身回到自己的座位。

「你走先，我遲啲搵妳……錫晒妳。」他將五千元放在她的胸前，她笑淫淫地離開。

只餘下我們。

「大師你啲法事都幾忙。」我說。

「哈哈，食色性也嘛。」他笑呵呵地道：「係啦，唔好講呢啲住……」

「咁講邊啲，又話食飯。」

「食飯呢啲可以再遲啲。」他停頓一秒，一秒之後，他從不正經的笑容轉為嚴肅的臉，臉色變得快過天氣，他正色道：「跟我嚟。」

「去邊？」

「總之跟我嚟。」

他不發一語就離開房間，只着我跟住他，直至坐上一輛白色的名貴電動車。

嘩……原來驅魔也可以如此富貴。

「我哋係去食飯？」

「有急事，等等先。」

他這樣説，我也不便説什麼。大約十多分鐘後，我們已駛至郊外，遠離城市，沿路盡是一片綠色森林。

「我哋要去邊？」

「等多一陣。」

大概五分鐘後，我又問：「我哋去西貢食海鮮？我有識人嘅。」

「等多一陣。」

就這樣，我被禁言，直到一個十字路前，他忽然問：

「係而家，見唔見到十字路口？」

「有啊。」

「應該轉左定右？」

「吓？」

「直覺。」

「轉左囉咁。」

我們再駛大概十多分鐘，可是沿路的風景不再熟悉，原先以為是入西貢的路，現在我一點都認不出，不像香港的馬路，反像走入迷霧的森林。

「果然。」

「嗯？」

「哈哈，你果然係有入結界嘅能力。」

「結界？咩結界？」

「呢個世界並唔係我哋諗到咁單一，仲存在好多我哋唔知嘅世界，包括結界。」

「平行宇宙？我都有聽聞過。」

「唔同，結界係講緊，由一個死去嘅怨靈所產生嘅世界，有啲人會稱為鬼域。」

「怨靈所產生嘅世界？」我好像有聽過南門蔚提起。

「殭屍有屍氣，鬼有怨氣，不同之處就係一個結界可以影響身邊時間、空間結構，一個怨氣極大嘅鬼，可以織成嘅結界就越大，喺佢怨氣之下嘅世界，佢可以控制一切時空。你有無聽過，好多人話見到死咗嘅鬼不斷重複做同一樣嘢？」

「有……自殺者不斷自殺。」

「呢個就喺佢結界之內。」

「又例如，你聽過好多人去行山，結果唔知去咗邊度，成個人失蹤。」

「佢哋就係入咗結界。」

「結界……最大可以去到幾大？」

「可能一個地區都唔定，或者一個城市呢。當然怨氣越重嘅鬼，就會有越大嘅結界。可以係一班鬼，好多人都話，全港最耐嘅結界，係喺九龍城。」

「咁恐怖？」難以想像一整個地區都是鬼的結界。

「結界一般人都睇唔到，唯獨某類人。」

「咩人？」

「唔係陽間嘅人。」

「……」

「當然，我唔係話你死咗。」

「咩意思……」

「唔需要知。」

「咁我哋而家去緊？」

「一間學校，搵一個老師。」

沿路行駛多十多分鐘，有一間建築物從巍巍森林之中突出，定睛一看，是一間學校座落在樹海之中。

「呢度竟然會有一間學校。」我説。

車停下來，我們徐徐來到學校門前，校門四周圍着兩米的鐵網，要不是寫着「XXX 小學」，我倒會認為這是一間監獄。

樹左右搖擺，狂風蕭蕭，好似有什麼生物四周瘋狂竄動。

「點解我要陪你嚟呢度搵老師……」我問。

「無你，嚟都嚟唔到。」

「吓?」

「記住,點都唔好走失。」伽樓一收起笑臉說。

「有咩幫到你哋?」保安從保安亭探頭而出,看起來面色蒼白,以低聲問。

「我哋嚟搵陳老師。」伽樓一說。

「好,請等等。」保安說道,對着對講機說些東西,然後一陣嘟聲,話機另一邊回報後,他就指着兩層高的樓舍說:「你哋上一樓就係教員室。」

「唔該。」伽樓一說,隨即邁步向校舍而去。

「呢個時間仲有學校開學?」我問。

炎炎夏日,陽光普照下的操場內,正有四十多個小學生,身穿制服步操,右腳起,左腳踏,整齊有序,他們眾人沒有絲毫遲疑,沒有表情。

讓我想起……北韓的軍人……

不知為何,我覺得有點心寒。

「嘩……而家啲小學生已經要操到咁?」

經過數個班房,都看見學生是十分聽話,細心聆聽老師教書,沒有一絲聲音。

97

「我未見過小學生咁乖。」

到達教員室，只見許多老師都在埋頭苦幹，大概是在改功課簿。

不消幾步便到陳老師的位置……可是……沒有人。

「佢上咗六樓，我帶你去揾佢啊。」一個老師說。

「喔……唔該。」伽樓一跟着他上樓，我正打算尾隨之際，有一樣東西打亂我的腳步……

驀地間，有一音樂聲油然奏起。

「韓壬辰……」

我左右環望，聲音看似由禮堂傳出，於是便往聲源漸漸踱步前去。

隱隱約約聽得出是一首鋼琴曲，曲風輕調，腦海回憶攪動不已，浮出許多昔日的畫面，無數的人樣，但是裏面的人我卻叫不出名字，不知道他們是誰，卻有一種親切感。

推開禮堂門，是一個標準的學校禮堂，裏面有數十個學生正在舞台之上，身穿中古歐洲時期的衣服，看來正表演話劇。

「神父，女巫帶來！」其中一個學生說。

數個穿着衞士服裝的士兵，拖着一個衣衫襤褸的小女孩進來。

「要將女巫吊死！」其他人說。

我實在看不出這是哪一套有名的話劇，現在小學都要演如此現實的劇本？不是三隻小豬或是羅密歐麼？

他們把小女孩掛上吊繩，行絞刑，推開她腳上的櫈，任她獨自吊在中間。

「嘩……好逼真。」我禁不住嘆息，無論是反應還是動作，完全超出一班小學生該有的演技，實在超卓絕倫。

我實在看不出，吊在半空中的魔術是如何做到，那個女生實在太似真實吊死。

「咳……救命……」她眼淚水滿臉，痛苦地叫。

「吊死她！吊死她！」四周的群眾不斷叫囂。

我正等着某一個時刻，他們會放下那個所謂的「女巫」，卻是沒有。

她吊在半空，口、鼻水盡湧，雙腳不斷在空中猛踢，雙手極力欲睜開頸上的繩卻是無力而脫，褲子開始呈深色，有黃色的尿糞漏出，像一隻被噴上殺蟲水的小強。

這時，我才心知不妙，這不是一套戲……

而是真的殺人，一套殺人的劇場。

「喂！你哋做咩？」我想上前救人，但忽然她撕心裂肺地嗚呼，雙眼反白，舌頭吐出斷氣。

「撕開佢心臟，獻畀我哋嘅王。」衞士掏出小刀，往她的胸口一插，再剜開，血湧而流，他伸手突入胸裏，翻找幾下，再扯出她的心臟。

「喂！！」我忍不住呼叫：「拍咩戲要殺人！？」

他們全部人同時轉身望着我，眼神陰森，不明所以。

「是誰？」

「是誰？」

「誰？」

「外人。」

「不知道。」

「巫。」

「魔鬼。」

「殺了他？」

「殺了他。」

「殺了他。」

他們一班跑來，速度似箭，上一秒明明在禮堂舞台，下一秒已到我面前，快得不似人類，近距離一看，才發現他們臉青唇白，毫無血氣。我驚得轉身就跑。

逃出禮堂，我愣呆了，剛才完好裝修的走廊，不知何時變成殘舊漏水的危樓，仿如舊墟。

「發生咩事……」我大叫：「伽樓一！」

沒有人回應。

糟了，他是不是出事。

整間學校改頭換面，跟我先前看見的完全不同，荒草亂生，沒有一塊玻璃是完整，牆壁破爛，簡直就像時光快進了五十多年。

「別走！」

「別走！」他們一行人在我後面，追趕而上。

「救命，點解我嘅人生不斷都係遇到鬼。」

為了逃避他們的追擊，我躲進其中一間課室，風吹過破碎的玻璃窗，壁報板殘破，穿了好幾個大洞，數十隻老鼠和小強在地下竄跑。

我躲進儲物櫃，看見裏面有一貼紙，寫班號、姓名和日期。

「卓子文。二零零一年十月四日。」

不就是二十多年前嗎？

踏踏，是幾個人的腳步聲，顯然來到附近，我倒抽一口涼氣，不敢再胡亂呼吸。

千萬不要發現我。

「班房，搵下。」

他們幾個人徐徐入內，我從櫃物室的狹隙中，窺看他們四周索看，從班房的門口到角落，他們都仔細巡查。

我屏息靜氣，不敢透一口大氣，深怕被他們發現。

他們巡視一番，似乎沒有什麼發現。

近距離觀看，方看清他們的眼睛異常奇特，眼珠是寶藍色，上面有寫着阿拉伯數字的 1 再加一個皇冠花紋圖案。

是什麼怪物？

我想打電話給伽樓一，又怕手機的光會引來他們注意，只好按兵不動。

「似乎無⋯⋯」

「去咗邊？」

「唔知。」

「走？」

「去下間。」

我心臟跳得飛快，待他們離開後，終於鬆一口氣。

可以找伽樓一了吧。

打開手機，螢幕發亮之際，忽然光線變暗，不，是有人擋在櫃前。

我嘗試探頭觀看，一窺，只見外面有三個人，面色蒼白如雪，六隻詭異的眼睛，加上有幾條細如絲的屍蟲在臉上蠕動，歪着頭，綻出恐怖的微笑盯着我。

「搵到你了。」

他們七手八腳地綁着我，拖回禮堂，剛才那個女生上吊的位置，誰知來到她面前，才發現她滿口都是屍蟲。

倏地間，她忽然睜眼，目眥盡裂，口吐黑色的血，對住我大叫：「救我啊！！！！啊！！！我唔想再喺度受苦！！」

她歇斯底里一聲長呼後，就絕氣了。

「巫。」

「魔鬼。」

「殺了他？」

「殺了他。」

他們一群人吊下她的屍體，如一件垃圾般隨便扔在禮堂地下，就準備一切，打算將我吊死。

嘞的一聲，我懸掛半空，全身的重量都集中在頸項，感覺呼吸正從我身體一點一點消去。

眼前的景點逐漸變黑，只見牠們令人心寒的笑容，除此之外就什麼都沒有。

我知道自己正要進入瀕死狀態，一幕一幕畫面又浮現眼前，既陌生，又感覺曾經歷過。

在長洲，她呼叫着我的名字。

「韓壬辰！」

「韓壬辰！」

「韓壬辰！」

「點解你成日都要找死？」

這不是夢。

是真實的聲音，從禮堂門外傳來一陣悅耳動聽的女聲，循聲望去，禮堂門口站着一個女子，穿純白色百褶短裙、上身穿藍色背心，綁着一道馬尾，正是南門蔚。

一而再，再而三，世上實在沒有這樣巧合的事。

直覺告訴我，我跟她絕對認識。

「點解妳會喺度？」我想出聲，卻毫無力氣，用口形問。

「呢個問題係我問緊你。」

「伽樓一。」仍是口形。

「伽樓一？點解你會同九龍城工會嘅人一齊？」

那群小朋友終於忍不住，議論紛紛：

「誰？」

「女巫。」

「女巫。」

「確是女巫。」

「殺了她。」

說罷，一群人往她方向擁去，我急忙大叫：「小心啊！」

她右手一晃，手中不知何時出現一張白符，搖一搖，頓時變成黃符，她貼在殘破的木地上，唸道：**「雲篆太虛，浩劫之初。」**瞬間，一道白光閃過。

整個禮堂頓時變成一個廢墟，佈滿蜘蛛絲、塵埃，所有的枱櫈都是溶溶爛爛，地板還穿了數個大洞，玻璃窗全是破爛不堪。

就像跟外面走廊一樣，變回它真實的面貌。

吊着我的麻繩嚓聲斷掉，我狠狠地跌在地板，痛得要命，卻捕得機會，喘口大氣。

「咳……咳……咳……嘩……呢度係邊度……」我問。

「屏山達德學校，香港最猛鬼嘅校園。」她説。

數十隻細路鬼趕至她面前，欲將她綁起，前方一隻小鬼率先搶攻，橫繩上抱，她右手腕擋住，左手一拳，正中他的腹部，應聲彈開數米外。三鬼見此，列陣而圍，分別在她東南、東及西南方位同時圍攻，想以快打慢。

她執着剛才搶過的繩子，捲纏右手兩下，以旋轉包布先將一鬼的重拳綁起，借力正中後方另一隻鬼的面，再鬆開繩子，右腳上勾，直踢那鬼的心口，順勢借力一躍，回旋踢中最後一隻鬼。

左擋右格，數隻鬼車輪戰般迎上，一拳一腳，她都一一解破，見招拆招，鬥得不分上下，不失氣勢。

大戰數十回合，我也看得驚心動魄，心想應該幫她做什麼，就拿起一張椅子，加入戰場，狠狠從後擊打其中一隻小鬼。

呼，整張椅都破爛，他卻什麼事都沒有，轉身狠瞪着我，想一拳回擊時，忽然見到什麼驚叫：「黃色嘅眼……」

「咩黃色嘅眼？」

「你係……殭屍……？？」牠嚇得跑開，不知去向。

此時，鈴聲響起，操場及其餘所有的鬼都聞聲而來，少説也有數百人，一擁而上。

「死啦死啦……」我心想不妙。

她不慌不忙點起三枝香，如同第一次我在屋村所見。

「靈寶惠香，超三界三境，遙瞻百拜真香。」

香煙如有靈氣，淡黃色的煙隨風吹散，如龍捲風捲纏數百隻惡鬼，牠們一一倒下。

呼。死不去。

「點解次次都係妳救我。」我問。

「不如問你點解喺度。」

「呢度係？」

「鬼結界。」

「妳都仲未講，點解妳喺度？妳跟蹤我？」

她板起口臉，不發一言。

「喔，我知啦，妳鍾意咗我。」

她左腳一絆，我立馬不穩倒地，屁股落地開花，痛得我哇哇大叫。

「喂！做咩呀？」我問。

「你嚟咁危險嘅地方做咩？」她問。

「呢度好危險咩？」

「你唔知呢度歷史？」

「完全唔知，我都係畀人帶嚟。」

她搖搖頭，緩緩道出歷史：「元朗屏山嘅達德學校係一間小學，一九三一年創校，最初以愈喬二公祠為校舍。自新校舍啟用以來，就不斷傳出鬧鬼事件。日本攻佔香港期間，大量殺害屏山村民，大批屏山村民屍骸被亂葬在該處山邊，成為亂葬崗，導致達德學校附近陰魂不散，頻頻鬧鬼。」

「鬼域？」

「通常都係一個鬼或者一班鬼嘅怨念而產生，佢哋多數生前都有未了或者痛苦嘅結，而產生一個鬼結界，就好似上次順利邨咁。」

「咁點解妳會嚟呢度？」

「上次順利邿嗰個伯伯，佢就係之前喺度做過。而殺人嗰個人，佢都係曾經見過呢度一個人。」

「邊個？」

「陳 Sir。」這個名字很熟悉。

不就是……伽樓一提起過那個人嗎？

「陳 Sir……」

「做咩？」

「無……伽樓一嚟呢度，都係因為話要搵陳 Sir 呢個人。」

「呢度已經變咗廢校好耐，幾個人都係因為有相同嘅嘢所以嚟咗呢間學校，之後出事，我相信之前一定發生啲咩事，無奈查過佢最後出現嘅地方就係呢間學校。」

「……你哋係查緊同一樣嘅事？」

「……」

「點解唔答我啊？」

「我都唔知。」

「哼。」

「伽樓一呢，點解佢要拋低你？」

「咁佢又無嘅，只係我一時行開咗。」

「不知所謂。」

「妳明明係識我，點解扮到唔識我啫？」

「你講緊乜嘢？」

「唔識我點解咁緊張？會有人咁緊張一個外人咩？」

「我唔知你講咩。」

「妳講緊大話。」

她又再板起口臉，説：「無。」

「妳呃人！」

「啊！！！！！」

刺耳而慘厲的聲音由上層傳出，我們急步奔上六樓。剛到達之時，正見伽樓一被一股不知名的力量扯入課室。

「伽樓一！」

「小心啊！唔好，係幻覺。」

我想伸手去救他的時候，誰見眼前的他竟成一個無臉的長髮女人，一下就抱住我。

　　「好啦，而家分組。」黃昏日落的課室內，各個同學都自動自覺組成一團團的圈，不消數秒就跟自己的朋友組成隊伍。

　　唯獨一個人，始終動也不動，呆佇原地，手足無措。

　　「老師，花子無分組呀。」

　　班上各人都竊笑。

　　「花子，我咪講咗分組囉，妳做咩仲坐喺度？」

　　「我……」

　　「老師，花子佢聾㗎，佢聽唔到你講嘢呀。」

　　各人狂笑，有的發出怪聲。

　　「哈哈哈哈……」

　　「喂！唔准咁講嘢！」老師制止。

　　眾人馬上收聲，但寧靜只有片刻。

　　「老師……我想去……去廁所。」

　　「屙屎啊？」

　　「又屙臭屎啦。」

　　「花子屙臭屎。」

全班大笑。

老師喝止，同時她忍不住嘴角上勾，輕輕偷笑，其他人見狀，明白老師也笑起來，知不會懲罰自己，便笑得更開心。

一道一道笑聲如利刃刺進花子的心。

她腦海盡是陳 Sir 溫柔的呵護：「花子，要以眼還眼。」

陳 Sir 是唯一一個會照顧、關心她需要的人。

花子，要以眼還眼。

這句在她腦海浮現不已，像纏擾不息的蚊子。

花子衝到廁所，到她唯一會上的一格，關上門口，她往上環顧，像預防什麼，往下望又是數秒。

她全神貫注地凝望。

「1……10……」

「無事……」

她呼一口氣，脫下褲子後，坐在廁板上。

忽然間一兜水從天而降。

「飲廁所水啦花子！屎怪應該配廁所水！哈哈。」

又是一班女生在笑。

「花子，要以眼還眼。」

陳 Sir 的聲音浮現在花子的腦海中。

花子衝出廁所，全力捏插剛才嘲笑她那位女生的頸，手筋暴現，一下推到欄桿邊。

只見她越捏越捏大力，那女生雙眼反白。

「停啦。」

停啦。

停！

我張開眼，便見伽樓一捉住我的手，而我正正捏着南門蔚的頸。

我急忙放手，她素白的頸盡是鮮紅的抓痕。

「妳做咩唔阻止我？」我急問。

她喘了一口大氣，咳嗽不止，一時無法言語。

伽樓一轉身，對着廁所，拿出一把銅錢劍。四周靜默，他揮劍畫圈頓時捲起一陣小型的墨水，旋着劍身而轉，耀眼狀麗無比。

我認得這型格又炫目動人的招式，是當日在按摩院他曾使出過，一招就把那怪物殺掉。

不。

「等等！」我急叫。

「做咩？」

「佢係好㗎，佢只係……」

「你癲咗線？佢鬼嚟，啱啱先害完你！」

「我明白！我真係明，只係……」我認真道：「我明佢點解咁，我睇到！我睇到佢嘅記憶。」

「咁都唔代表可以唔消滅佢，鬼，係唔可信。」

「我都知，只係佢未必係我哋諗咁壞。」

「哈，韓壬辰，你呢種咁天真嘅性格終有一日會毀咗你。」

門緩緩張開，無數的頭髮從馬桶伸延出來，如一隻生化怪物一樣，噁心不已，直至人頭、手、腳等都從洞口爬出，花子從廁格走出來，似乎不能理解我為何要維護她。

「佢就係成間學校嘅真元。」

「真元？」

「即係鬼域嘅第一個怨氣來源，通常都有一個怨魂開始，漸漸聚集其他惡鬼，例如我哋啱啱見到嗰啲，只要殺咗佢，無咗真元，鬼域就會消失。」

「佢唔係壞㗎。」我説。

「你仲煩住晒？」

「點解你要幫我？」她忽然開口。

「雖然我唔認同妳嘅行為，但我理解到妳嘅痛，所以想妳收手，唔好再錯落去，都咁多年啦。」

「你明？你明啲乜？點解我要承受呢啲？」她再起惡相，四周充現紅色的戾氣。

「講多都浪費時間，等我殺咗佢啦。」伽樓一説。

「你以為我驚你？」

伽樓一握劍更緊，劍氣沖天。

「唔好！」我急叫：「緣起緣滅，緣聚緣散，我哋只係知世事無常，所以……」

「我明妳，花子。或者唔能夠 100%，但我體會到妳嘅痛，我諗呢種感覺，再乘以 100%，就係妳嘅痛。」

牠忽然止住，似乎被這句所動搖。

「我明，呢個世界唔係無人明妳。」

「……」

「係，佢哋欺負妳係好錯，但唔係原因妳可以傷害人。我唔認同，不過我體會到。」

「你明？」

「我明。」

「你無可能明！」

牠大吼，頭髮如觸手四散，想一擊解決我們。

「我明妳唔想係衰人。我明妳都想放低。」

大雨傾盆而下，散了炎炎暑氣。

花子雙肩抖震，流下眼淚，漸漸從雨水中變回一個普通人。

惡人，可能都是被其他人所逼成。

「曾經，我都唔明人生在世係為乜，直到你講咗呢句，我好似有少少理解。」

她雙膝跪下來。

「我哋有樣嘢想問，妳知唔知有個人叫李強一同埋王本？」南門蔚問。她之後說，那兩個人名就是當日順利及荔景邨的殺人兇手。

「聽過，係陳 Sir 同我講過，佢同李強一好熟。」

「王本呢？」

「佢係我同學個哥哥……」

「班主任係？」

「陳 Sir……」

「果然。」

「不過好耐之前嘅事，佢好似轉咗學校做……」

「邊間？」

「……好似係德亞女校。」

「唔該你……」

南門蔚燒了一張符，説：「之前有太多孽，我無法幫妳解晒，妳都要承受後果，不過妳肯改，我相信終會有善果。」

「荒草何茫茫，白楊亦蕭蕭。

嚴霜九月中，送我出遠郊。

四面無人居，高墳正嶕嶢。

馬爲仰天鳴，風爲自蕭條。

幽室一已閉，千年不復朝。

千年不復朝，賢達無奈何。

向來相送人，各自還其家。

親戚或餘悲，他人亦已歌。

死去何所道，託體同山阿。」

「多謝妳……」

她煙消雲散，化成一陣風，終於免去人間的纏累。

「完啦？」

「完。」

四周由一間完整校園，退回現狀。

只不過是十多年前的樣子，變回真身。

步出校園，才感到陰森恐怖，校門是兩米多高，鐵網而成，門前雜草叢生，且噴上古怪的塗鴉。

「我哋頭先睇嘅，明明唔係咁。」

「鬼域係咁。」

「我走先。」南門蔚一句未說就徑自離開，我及時拉住她。

「做咩？」

「咪走住啦。我仲有嘢問妳。」

「我無乜嘢同你講。」

「但問題係我有！你哋兩個都唔好走，同我講清講楚。」

第四街　東洋古傳説

一個多小時後，我們幾個人已身在旺角的一間台式火鍋店內，蒸氣騰騰，熱鬧不已。

靜坐下來，我才第一次近距離看清她的臉孔，皮膚光滑而白皚皚，眼睛水潤而有神，仿如天上的仙子。

「望咩？」她惡問，我從夢中驚醒。

「無，唔使咁惡嘅。」我説。

伽樓一早已左吞右噬，吃了不少食物，只有南門蔚沒有動筷。

「點解你要帶一個乜都唔識嘅人去啲咁危險嘅地方？」南門蔚質問他。

伽樓一一邊將肥牛蘸豉油，一邊説：「佢關妳咩事？」

「係囉，我關妳咩事？」我加入戰團。

「唔關我事，只不過將一個普通人拉入驅魔就唔係好事，嗰間學校咁危險，你都帶佢去，好易出事。」

「佢係普通人？」伽樓一搖搖頭，一副不置相信的表情説：「我諗妳隱瞞好多嘢，唔好當我傻，佢點都唔會出事。」

四周的吵鬧聲不斷，熱鬧哄哄，但我們這場的氣氛降至冰點，極為凝重。

氣場凝重得，我不敢胡亂説話，明明我有話想問。

他們的眼神⋯⋯似兩大高手在交戰，旁人一旦介入就死無全屍。

「咩意思？直接啲。」她問。

「佢係當日驅魔工會嗰個目標，係唔係？」伽樓一用他奸淫的目光問。

「⋯⋯」

南門蔚良久沒有説話，也沒有任何表情，伽樓一露出勝利的笑容，似乎他猜中了。

但猜中什麼？

「我估中咗。」他説。

「講緊啲咩呀？」我問。

他們説的每一句我都明白，可是卻理解不能，完全不知道他倆在説什麼。

「咁我終於明白點解妳要咁做。」伽樓一説。

「知你就遠離一啲，唔好再將佢帶入呢度，如果唔係，我會殺咗你。」她毫無語調地説。

一個美麗動人的少女說出這樣的話，是美艷與驚慄之間遊走，心情複雜。

「其實妳咁做無用，如果唔係我，我諗佢死咗好多次。」伽樓一面輕挑地望着我説。

「夠啦！你兩個唔好再討論我，但又唔畀我知道講緊乜嘢！」我忍不住説。

南門蔚收拾好自己的東西，站起來説：「唔好再令佢記起乜嘢。」

「我堅持呢個唔係好方法，妳追緊東洋老殭都可以搵到嚟呢度，證明幕後發生好大件事，可能都唔係妳同我可以解決到。」

「東洋老殭？」我問。

「記得，傳説係只有陳道明呢個古老嘅水墨流劍士先可以打敗東洋老殭。」

伽樓一直視南門蔚道，漠視我的問題，他低沉的語氣，似是説一件重大事件。

到底有多大，我實在不得而知。

「究竟係咩事？」我問。

南門蔚睇睖我説：「香港一段時間恢復和平，已經無殭屍存在，但唯獨近期，各工會報稱各區有異常情況，而傳説有一個東洋老殭會甦醒。」

「東洋老殭？」

「呢個係我哋追查嘅原因，同時各區多咗咁多冤殺案，就係好令人可疑，結果一查，果然好大機會係同一件事，證明我哋好有機會係查緊一單大案。」

「冤殺案都係同嗰個有關？」

「可能係毀滅香港嘅陰謀。」他眼睛瞄住南門蔚，意有所指地説。

「無論如何，你都唔可以再將佢牽涉入嚟。」

「到底妳係我邊個？」我急問。

「南門蔚。妳唔想捉返隻老殭咩？我有線人有線索。」他説：「不過我有個條件。」

「咩？」

「佢要跟住我哋。」

「唔得，太危險。」

「佢一個人先最危險，佢嘅體質隨時惹到成群鬼，加上……佢點都唔會一個人。」

「咩意思？」我問。

「佢一直暗中保護咗你好耐，你應該都有察覺，唔係你每次都咁啱會撞正佢救你？」伽樓一意味深長地説。 125

南門蔚怒視他，卻無任何否認。

這與我先前的構想的一樣。

水落石出，我跟眼前這個女人絕對認識。

「你唔會救一個唔識嘅人，到底之前我發生咩事，點解我無晒嗰一段記憶，而你要唔認我？」

「哎，咁又唔好逼佢，人哋姑娘仔唔講係有佢原因，你唔知嘅嘢太多。」伽樓一又展現他的招牌笑容，一面輕鬆。

「咁到底可以講，係發生咩事未？咩東洋老殭？」

「你對殭屍有咩認識？」

「無……最知道係，有好多殭屍入侵香港，但嗰段時間嘅嘢我都唔記得晒。」

「係，無錯。你只須要知道，呢件事之後，民間多咗好多人信啲咩殭屍教，同埋多咗人入行，加入驅魔工會。工會因為咁多壯大咗，勢力驚人……」

「夠。」南門蔚說，阻止他繼續說下去。

「咁我講其他，就係東洋老殭。你對殭屍認識有幾深？」

「我？」我指着自己問：「我就真係唔係知好多。」

「殭屍，起源不明，淨係知第一個地點喺東亞。四百多年前嘅日本正值戰國時代，各諸侯為上洛，一統天下，各出奇謀，為贏取戰爭不擇手段。有人騎兵改革，有人活用火器，其中亦有人利用病毒。當時，中國正值海禁，一眾海盜雄霸海上，王直等人與日本軍閥的關係良好，便托人將屍毒帶到日本本土。得到屍毒後，他們一直利人屍毒作活體實驗，不斷變種，最後打主意到一名死去已久嘅人，導致出現一隻無可對抗的殭屍。」

那正是日本人心目中的軍神，楠木正成。

當時，楠木正成已經離世百年，屍首腐化，葬落在日本大阪河內長野寺的觀心寺。

那一個滿有野心的大名，帶着一百身患屍毒的人，來到他的墓前，將帶有殭屍毒的血放了，灑在墓前，並將患屍毒的人活埋。

四十九日後的滿月日，由腐化的屍骨，漸漸長出肉和血來，如同再一次出生般，變成一隻殭屍。

這是一次最可怕的獻祭成屍。

楠木正成成為本土最可怕殭屍，戰力可怕，一人能殺盡數萬的軍隊。誰得殭屍，誰得天下，不論日後的江戶政權或是明治政府也是如此。

直到二次世界大戰，東亞戰場兵力不足，楠木正成便被投入香港的戰場。

「等等先，有少少唔明，」我打岔伽樓一的說話，問：「人類點控制殭屍？即係點將一個殭屍變成自己手下，佢根本係無敵。」

「醒目，呢個就係一個謎，到底點解可以控制殭屍成為武器，係人都知殭屍並無自由，但點解會聽人類講？係咪佢哋知道咗啲咩，定係控制佢哋嘅都係掌權者，佢哋本身都唔係人？我哋就不得而知啦。呢個，係日本殭屍嘅秘密。」

「可能，日本都同呢件事都相關。」南門蔚說。

日本也對香港虎視眈眈嗎？

總之，楠木的戰力是毀滅性，一人滅了大半英軍和加拿大援軍的兵力，是香港保衞戰定下敗局的關鍵，那時香港最有名的驅魔師在參加在這場戰爭，包括伽氏，還有南門氏，大戰苦戰了三日三夜，直至黑色聖誕節後，香港正式淪陷。

楠木的武士道刀法世間無人可敵，幸好，香港最有名的水墨劍術大師陳道明參戰，雖然戰爭輸了，但得而暫時封印東洋武士，不過當時已有傳言楠木他將會回來，除非陳道明仍在，否則，無人能敵。

「水墨劍法，即係你嗰啲？」我問。

「我嘅先祖，即係伽氏當時係有同陳道明學過少少，但連佢 1% 都無。唔使旨望我哋。」他攤攤手說。

　　我整個人傻眼，心裏想道：「1% 已經咁勁，學晒咪不得了？」

　　「只不過封印似乎隨時間而減弱，有人處心策劃想令牠復活，加快解除封印。目的係咩，我就唔知。」

　　「咁嗰個陳道明去咗邊？搵佢返嚟咪得。」

　　「無人知，淨係知佢最後出現喺九龍城舊居。」

　　「唔搵佢？又話得佢救到香港。」

　　「呢個當然有，但無線索。」

　　「楠木係復活咗，再唔搵返佢，喺佢吸取足夠人血之前如果可以殺咗佢，香港或者仲有得救。」

　　「好似我之前講咁，我有情報知佢喺邊。背後的確似乎有其他日本勢力介入緊。」

　　「喺邊？」南門蔚問。

　　「要帶佢去。」他玩味地瞧了我一眼。

　　「伽樓一，呢啲關頭仲玩？」

　　「世界末日又點，如果唔好玩，人生根本無興味，而我相信佢去咗，一定會好有興趣。阿蔚，做人唔使咁認真嘅。」

「……」

「信我，今晚會見到佢，妳答應就起行。」

火鍋的蒸氣騰騰，映着是伽樓一的笑臉，沒有人知道他在想什麼，總覺得他有許多計算，而這一次傾談的資訊量太多，我需要消化一下。

為什麼他一定要我？

凌晨三時十五分，整個城市都在沉睡。

四周濃罩一股不知名的灰色氤氳，劃破濃霧的是一列火車，嗖的一聲駛進漆黑的紅磡火車站。

月台上死寂一片，只有剎車聲，這車身的玻璃窗上滿佈手掌血印和爪痕，似是有慘劇發生過。

頃刻，車門打開，裏面漆黑無光，車廂流出黑色的血，浸透整個月台。

「唉頂……點解係我。」

一個守夜的夜班職員，面色蒼白如雪，一臉不情願的提着手電筒，手震不已，小心翼翼地走近車廂。

「有無……咳……有無人呀……？」

他的手抖震不已，深呼吸了一下，光照進黯黑的車內。

廟街有殭屍

Zombies in Temple Street

左照，什麼都沒有。

右照，還是什麼都沒有。

「唉仆街，咁夜點解會有車喺度。」他喃喃自語，正想回頭之時，倏地一個人頭冒出，嚇得他整個人彈起。

定睛一看，原來是一對孖生姊妹，大概五歲左右，各自擁有一張天真無邪的臉孔，身穿白色洋服，只是一個長髮一個光頭。

長髮的釅然自喜，光頭的泫然自悲。

此時，一個紅色的皮球溜到他身邊。

「哥哥，可唔可以畀返我哋。」她們異口同聲地問。

「可以。」他拾起球後，遞給她們問：「妹妹，點解妳兩個咁夜仲喺度？你哋媽媽呢？」

她們閉口不語，大概是太驚慌，他再問：「妳哋搭呢㗎車嚟？」

「我哋係嚟搵嘢㗎。」

「搵咩？」

「搵返我啲頭髮。」

「頭髮？」

131

　　她們指向他手中的皮球，不知何時皮球竟連着他的手，深入他的皮層，他嚇得想扔開，但球的表面已貼在他的皮膚，如同身體的一部分，開始伸出長長的頭髮，源源不絕，纏着他的雙手，然後把他拖進漆黑車廂中，又是一陣是嚎叫慘聲。

　　「我第一次知男仔可以叫得咁高音。」一直躲在一旁的我説：「睇嚟都要去救救佢。」

　　「記住，用我教你嘅符，同埋唔好亂走。」南門蔚説。

　　「得啦。我可唔可以問一個問題。」

　　「咩？」

　　「點解要着短裙打殭屍？」

　　她不理會我，徑自入車廂，我尾隨之。

　　她打開手機的電筒，借微弱的光線探索整卡車廂，其中一卡都放了柳州金絲楠木壽棺棺材。

　　「嘩，真係有錢。」我説：「識揀，真係靚棺材。」

　　此時，一個紅色的皮球落在我的腳邊。

　　「哥哥，可唔可以幫我執返個波。」

　　循聲而看，又是那對孖生姊妹，仍是一個長髮一個光頭。

「好……」我拾起皮球，她們嘴角偷笑，然後我一個標準擲球姿勢把球扔出車外，不知到哪裏去，她們來不及任何反應。

「Sor，我唔鍾意小朋友，你哋搵姐姐幫你。」我攤攤手說。

「你死硬！」她們面現怒相，完全不像五歲小孩，反像五十多歲的老人樣，看來這才是她們的本相，不消一會就衝向我來。

「當然啦，有邊個人死亡率唔係 100% 㗎？」我問。

「仲嘴硬，睇你一陣仲有無咁多嘢講。」她們拖着手而來，光頭的突然生出長髮，二人髮至地上，源源不絕，仿如有生命的湧來。

「迪士尼套長髮公主可以收下皮先，呢啲先係長髮魔女。」

我快步後退，不消一會，她們的頭髮……其實已經不算頭髮，仿似有生命的活物，包圍我的四周，將我重重困死。

「瞓低！」南門蔚從遠方大呼，我本能地蹲下，她手持火紅色的符，着亮紫色的火，向髮一揮，經過之處無不燒成炭焦。

那麼的一瞬間，長髮的小女孩頓變光頭。

「八婆！」

可是不消一會，在我的四周 360 度伸出大大小小如觸手的頭髮，綁住我的雙手雙腳。

「呢個就係我唔鍾意細路嘅原因。」

她們頃刻來到我面前，撫摸着我的臉，邪笑道：「你嘅血好似唔錯，應該幫到大人恢復。」

「我糖尿啊，小姐你哋都係搵過其他人嘅血啦。」

「你真係好多嗲。」

就這個瞬間，趁她們不防，我拉着綁住手的頭髮，弓着身蓄力一踢，猛然擊中腹部，頓時把她們踢飛老遠。

啊。

這有點誇張，我是有這麼大力嗎？已經不像人類會有的力度。

她們大怒，全身的毛髮冒出，勢如箭豬，尖如針刺，全發向我處。我左跳右避，逃得不可開交。

迅雷不及掩耳間，南門蔚以輕盈的身手，翻身跳越所有攻擊，一下來到她們身前，將一張雷符貼在她們心口。

「講，邊個要你哋保護殭屍。」

「收皮啦八婆！」

「上卦為震，下卦以坤，雷地豫。」唸道之間，地面爆出一陣強烈轟雷，足足五秒，將她們立時電成炭灰，魂飛魄散。

「救人。」她説。

步入車廂，一陣惡臭傳出，那個職員正被一堆頭髮包得如木乃伊一樣，我替他解開頭髮，他嚇得屁滾尿流，流着眼淚。

「冷靜啲，而家立即出去，等天光先好叫人嚟幫，知道。」

「知。」

前方車卡有微聲抖動，我們上前察看，便見一個男人佇立在眾棺材之中，他身穿古式日本傳統武士裝，軍藍色，灰塵不絕。我們稍稍接近已傳來一股難聞的屍臭味，幾十隻蠅子飛來飛去，繞屍而轉，看來已經曝屍幾日，口中和眼睛佈滿蠕動的蛆蟲，噁心至極。

「唔會江戶死到而家呀？」我問。

「你正經啲好無。」

「好難。」

「小心！」

倏然，它猛睜雙眼，呈深黃色，枯乾的雙手插向我的頸項，屍蟲順勢蠕動於我的身體之上。

武士力氣甚大，緊得我完全透不過氣。

就在絕命之際，我忽然感到暖流從胃部傳到身體每一角落，力氣極大，似充滿能量，活生生地掙開它的手。

南門蔚拔出一把劍斬去，它頓時雙手一縮，滿是屍毒的指甲抓去她，她回劍格擋，發出「呼」的清脆聲，雙方退後數步。

「無事？」

「咳……咳……無……」我剛回復呼吸，禁不住抽幾口大氣。

「符。」她說。

我扔了數張符給她，她雙方指一夾，便由白色成了金黃色，貼在劍上往它一指，電流順勢疾飛，直奔武士！

殭屍提起身前棺木一擋，木材瞬間被燒成灰，有兩具無頭的屍體跌出。

它見狀，急忙跳走。

「追！」她喊叫。

我還在喘氣，回望身後的棺木一眼，只好跟着她一起追出去，同時發訊息給伽樓一，通知我們正外走。

　　它一跳十步，沿理工天橋方向走去，追至橋中時，它一下往橋下跳去，正中一輛駛去紅隧的巴士車頂。

　　南門蔚奮不顧身，追住它跳下橋，剛好呼一聲，正落的士車頂。

　　「黐線㗎，點跳呀哥，拍電影咩。」我看得呆眼，此時伽樓一的貨車也剛好駛到，我決定⋯⋯

　　急步沿樓梯下樓，再上伽樓一的車。

　　不是每一個人都像他們那麼瘋狂。

　　「追住佢哋，前面呀！」我扣好安全帶（這很重要，撞車是等同二十五樓跳下來）後大叫。

　　「見到啦。」

　　我們高速地尾隨他們，只見南門蔚從的士車頂一躍，跳到巴士車頂，正跟日本武士近身搏鬥。

　　「睇嚟有機會。」伽樓一說。

　　「有機會咩？」

　　「佢未恢復晒，有機殺咗佢。」

　　他踩盡油門，車如火箭直奔，期望趕上他們。

137

另一邊廂，南門蔚繞東洋武士下盤而攻，互相過了數招，快得不可開交，她乘其不備，劍尖上鈎，它頭上仰，轉身雙踢，她格劍一擋，整個人滑倒跌下。

幸好左手按地，收好速勢，旋身而轉，完美落地。還未來得及喘氣，她已急步衝前，全力一刺，它右拳揮格，她忽繞劍一轉，乘其之勢，借力迴身向下一劈時，它口中竟噴出深紫氣的毒氣，她一時躲避不及，吸了數口，吃了一驚，雙手掩口。

已經太遲，她整個人軟下來，正要跌下車，這是海底隧道，車來車往，肯定死無全屍。

「你揸住車先。」伽樓一大叫。

「咩事？」

「睇住，我只示範一次，墨氣嘅運用，所謂嘅水墨劍法，其實就係真正嘅墨氣展現。」

「丹田氣足，督任並行。

防危慮險，依脈運行。」

高速而駛之時，他打開車門，腳一上勾再轉身一跳，爬上車頂。深呼吸一口氣，全力躍跳，有水墨從他的腳底爆出，如踏履水墨畫之中，所踏之處盡是墨跡，他飛過貨車及數十輛車，及時把她接住，落在隧道，響安聲連天。

無數車迎面而來，快得驚人。

他側身一閃，一架車剛在半呎之間閃過。

貨車此時越過他們，他們高速拉去如飛船一樣，左閃右避，險象環生，穿過車底，他的背與地面高速磨擦。

我的車也剛好剎停在隧道出口，想下車觀看他們時，只感到一股死亡的氣息。

這氣息，使我的身體不自覺抖震起來，轉頭一望，東洋武士正好站在我的身後。

剛才見它之時，並沒有什麼感覺，甚至不覺得它有什麼氣息，只是單純一具死屍。

現在，咫尺之間，卻覺得在它四周散發一股死亡的氣場，讓人恐懼驚惶，無法動身、無法思想。

只是單單的害怕⋯⋯

是⋯⋯害怕死⋯⋯

良久沒有這種感覺，背部不自覺冒出冷汗，雙手不斷地震動。

實在難以想像剛才南門蔚是如何跟它交手。

「仆街啦⋯⋯」現在腦海全是怪責伽樓一為何要把我這個普通人帶入他們這些怪物的戰爭。

「吼⋯⋯」它以低沉的聲音：「吾願七世報國。」

它的眼睛是紫色，如紫寶石一樣晶亮。

「呢度香港⋯⋯」

還未來得及回應，它已動身，奔至我面前，我大驚，急忙退身，卻被它一拳、兩拳、三拳，數之不盡，或許有百拳在短短十秒之間全轟在我身上，強大的衝力使我飛出遠處。

痛。

痛。

是血。

倒在地下，只感到甜甜的液體在口腔，一股暖流在腹部上至口部，不消一會便吐出鮮血。

「殺盡敵人。」它低吟。

「我唔係你敵人啊，呢度都唔係日本。」

「消滅香港，報忠國家。」

「OK⋯⋯咁你嗱。」我想一想，這倒正常，它最後的指令是在二戰時期。

想動身，只覺得骨肉分離般劇痛，全身骨折，我快承受不住這種痛。

痛。

「殺盡天下人！」它拔起路邊一路牌，長桿在它手上仿如刀一樣，揮灑自如，作持刀姿勢漸漸逼近。

這已經不是好玩，我只覺它比我想像中更可怕。

我恐怕……我要死。

它舉刀衝來，剛好此時，一張雷符貼在它胸前，爆出一陣火黃色的電花。

它藍色的鎧甲被炸出一個洞，可是對它好像沒有什麼損害。

「做咩瞓喺街？」

是伽樓一的聲音。

「退下。」

是南門蔚。

此時，雙劍從後揮上，是南門蔚和伽樓一二人趕至，他們合力對付那武士，一左一右，三劍交戰。他們不斷換位走位，互相補位應招，其實招招取命，不過那武士劍術實在了得，防守完全沒有缺點，應付兩人仍游刃有餘。

　　南門蔚掏出道符，貼在劍身，唸道：「下震上離，火雷噬嗑。」火與雷電繞劍而旋，亮眼炫目。同時伽樓一的銅劍也冒出劍氣，墨水由劍展出。

　　二人突至，從上下方位同時進攻，只見那武士的『刀』從空氣之中冒出刀氣，如同實影，它先橫刀格擋南門蔚，輕鬆化解她的招數，再抓住她的心口，將她扔向伽樓一，他見狀馬上收招，恐怕傷及他人，只好硬接住她，武士不放過此機會，右拳打向他們，一石兩鳥，同時左手持刀，一下插向他們，一連刺穿兩人。

　　鮮血滿地。

　　南門蔚和伽樓一血流成河，倒地不醒。

　　我目睹這一幕，腦海已無法思考。

　　韓壬辰……

　　韓壬辰……

　　韓壬辰！

　　忽然，眼前浮現一隻穿唐服的殭屍咬向我。

　　是回憶？

　　只見牠的利齒刺破我頸項的皮膚……

　　藍天、水底、森林……

地球、宇宙、太陽……

母腹中的 BB、小孩子、踢足球、上學、男女交歡、再生育……

月黃色的眼睛。

頭痛得快要痛開。

一種生物的本能，驅使我站起來，身體的痛苦已經消失於無影，腳漸漸往它而去，不知不覺，我跑了，如同風一般快。

「放開佢呲！」我大吼。

它好像驚訝我的突然出現，還未回過刀來，它正想拔刀之際，我只感到一切的時間變得飛慢，仿如慢動作的子彈時間，空氣流逝降至最低速，我看見它正慢慢抽刀，作護身狀……一切我都看得非常清楚。

抽刀。

抽刀。

它趕不及。

我一拳揮向它的左面，它完全反應不及，完全正中這拳，飛出五米之外。

143

不經意望到巴士的玻璃反射，我的瞳孔不知何時變成月亮般的黃色。

我⋯⋯

為什麼？

我是什麼？

想問為什麼，卻沒時間，不知何時出現，沒有氣息般的它一刀斬向我的胸口。

「殛。死。」

這種恐怖的速度。

我生物本能的退後避開，但仍正中一刀，很快便一拳還擊，打向它的胸口，爆擊力之大，只感到我和它的身體也裂開，但我竟沒有什麼痛楚，應該說忘記感覺，身體仿彿不是自己的，依照最原始的戰鬥直覺而行。

我跟它纏身搏鬥，每一秒都盡全力而戰，因稍有不慎便會中刀而死，在這激烈的生死戰中，細胞每一刻都在活化撕裂，但⋯⋯

我竟感到有點痛快。

這種邪惡的快感，不知從哪而來，但我非常喜歡，有嗜血的渴望，如同一個口渴的人想要甘水。

想要血。

想要血。

我真的很想要血！

右揮左擋，時間一久，我的身體漸漸撐不住，畢竟它持刀，而我只能以肉體相搏，我只有蓄盡全力，右力拉弓一擊，猛然打向它的頭部，抓住它的雙手，一頭撞向它的額頭。

然後⋯⋯

它仍是不倒！

這是什麼怪物。

它往我的胸口一刺，只覺心口有點癢，刀不偏不倚直中我的胸部⋯⋯

「你輸了。」

然後眼前就是一片黑色。

我只覺得身體很難受，斷斷續續發燒好幾日，又迷迷糊糊醒了，發現是醫院的天花板，想起妳卻又是無能為力，手腳都好像是斷了，完全沒有氣力，特別是胸口，刺痛得仿如肌肉撕痛，稍為呼吸大一點的氣，也感到疼痛，只敢小口小口地呼吸，口乾得難以忍受，想喝一口水，但又無力時，只能以沙啞而弱小的聲音說：「水⋯⋯水⋯⋯」

有人應聲餵我飲水，我漸漸又再睡回。

第四話
東洋古傳說

第五街 東華義莊

這種的情況持續好幾日。

我作了一個夢。

在夢中，腦海經常晃閃幾個畫面，我身處在油麻地的廟街，看到有數百隻殭屍，手中執着一把像冰劍的武器，然後好像……身陷屍海之中，跟那群殭屍搏鬥。

但是我又怎麼會跟殭屍搏鬥呢？我只是一個普通人……到底為什麼會有這個記憶？為什麼我怎樣都記不起呢？當時發生的事，為何我的腦海中是一片空白，完全沒有印象當時的我在做什麼。

我整個人的記憶猶如碎片一樣，碎成沙河，拼合不了。

大概一朝的早上，我又再醒了。

坐在我身旁的，是伽樓一，他正看見女生雜誌，沒有穿衣服的那種。

「咳。」

「噢，你醒啦，真係好！我唔使再留喺度！」他看見我張開眼，卻是懊惱地瞪住他。

「點解會係你？」

「鬼叫你好似無親人咁咩。」

「都係……」

「你家人有嚟過啊。」

「佢哋有嚟？」

「不過好快就走咗，叫我睇住你。啲湯佢哋帶嚟。」他遞上一個保溫壺，我剛好口渴，便打開一飲，裏面卻是冷冰冰。

「但我勸你唔好飲，都過咗好多日。」

我馬上回吐出來，怪不得有種怪味。

「你唔好清明先講……」

「又唔好咁，我啱啱醒起嘛。」

「我瞓咗好多日？」

「一個星期左右。」

「咁耐？」

「你算勁，全身上下都中晒刀傷，都大難不死，醫生話你唔係人。」

我一愕，問：「咁⋯⋯嗰隻殭屍點？」

「走甩咗。」

「佢點解會放過我？」

「係佢想殺你嗰時，我趁機會偷襲佢，佢受傷走咗。」

伽樓一用盡最後一口氣，使用水墨劍法才把它暫時擊退，是贏在它無防備。我們這仗是輸了，還未計它其實未回復力量，真不知當它完全體時會是如何。

「咁南門蔚呢？」

「佢無事，去咗查其他嘢。」

「佢⋯⋯有無嚟過？」

「無啊。」

「一直都係你照顧我？」

「你問嚟做乜？」

「無⋯⋯」

「無事就好，我去搵下 Joey 先！出出火，正！」他說罷，就放下雜誌說：「留返畀你睇，私人畀你！」

這個人腦中是否只有性。

「食屎。」

我又倒回牀上。

好久沒有休息。

但……

身體的痛，好像真的消失了。

一個正常人會這樣嗎？恐怕一年半載也不定。

我……是什麼東西？

再度醒來，是半夜深宵時分，幾乎所有人都睡死，鄰邊一個男人是鼻鼾如雷。

但他不是吵醒我的原因。

是氣味。

我曾經無數次聞過這種味道，人的嗅覺和大腦神奇萬分，只要聞過的味道，都會異常敏感，甚至比視覺來得更靈。

這味道，說是屍味又不算是屍味，說是臭味又不算，是屍與臭味的混合味。

嗯……

每次有怨靈在現場，都會聞到這種味道。

我起牀，緩步向氣味的來源而去。步出病房來到走廊，或因深夜關係，靜得有點可怕，特別燈光調至昏暗，看起來深邃詭異。

「咳。」

遠處有一燈光，應該是護士辦公處。

但味道不是從那裏來。

我沿氣味繼續走，來到後樓梯口。

風從門口吹出，發出呼呼的叫聲，如同一隻猛獸怪物怒嘯。

「不如都係返去。」我為什麼要去？完全想不明白。

可是……身體卻已經下樓。

來到一樓的時候，地上有一堆積水，不知從哪而來，又沒有窗，不可能是雨水，可能有人倒瀉水吧。

正要跨過之時，我不經覺望向那堆積水，竟然看到一個面色蒼白的女人站在我身後！

我嚇得猛然回首！但是……沒有人！

再望一次，那女人的手正摸着我的頭。

「邊個！」

我退後數步，卻撞到不知名物體，全身一震，立即轉身，原來是⋯⋯

南門蔚？

「點解妳會喺度？」

「你又點解喺度？唔係應該休息緊？」

「咁妳呢？妳都無休息過，明明都有傷。」

「嗰啲傷我哋用墨氣，一兩日都恢復到，反而係你。」

「其實我本身都想問⋯⋯點解我會咁⋯⋯好似變咗怪物咁。」

她默然不語，似乎不想提起此事。

「妳唔想講就算，但妳一直唔嚟探我，又點解會出現呢層？」

「我追查到第一次目擊嗰隻武士嘅唯一生還者，而家就喺呢間醫院。」

「目擊者？」

據南門蔚所説，武士的屍體一直放置在東華義莊，不知發生什麼事才導致它又再出現。

東華義莊是全港獨一義莊，義莊就是類似棺材中轉站的概念，本是安放僑民回鄉的遺體，全盛時期曾有 800 具屍體寄厝於此，共有九十一間莊房，棺木滿滿。久而久之，變成香港人入土為安前，棺木的最後停留地。替先人下葬之前，都會擇一個良辰吉日，等到吉日再土葬。

「佢而家應該喺呢度，而伽樓一就去咗追查陳 Sir 條線。」

「喔。總以為妳咁好嚟搵我。」

「廢話。」

「咁我同妳一齊去。」

她卻沒有從正門進，反而直行到另一邊。

「喂，妳去邊啊，病房喺呢度㗎。」我說。

「殮房。」

「殮房？」

她從大樓另一個小座搭電梯上去，在軚間她掏出數道白色的符給我。

「一陣小心，用符護命。」

軚門打開，一股刺骨的寒氣傳來，我不禁打了一個冷顫，眼睛感覺乾涸，空氣仿如沒有水分。

「小心。」

步出電梯，慘白色的燈光不知為何帶點點陰森綠色，沿路望去，走廊一個人也沒有。

「救我……」從遠方傳出，南門蔚循聲而去，我緊隨其後。

來到殮房的門口，一個大叔站在門外，他轉面向我們，手中持着一把紅色剪刀，正指向自己的喉嚨。

「小心啊，有事慢慢講。」我説。

「我都唔想㗎……救我。」他表情扭曲地説，在邊面笑着，右邊面卻苦着面口，完全不一致。

「冷靜啲，放低把鉸剪先。」

「救我我控制唔到自己，救我！」嘴巴是這樣説，但手漸漸把剪刀插進自己的頸項，剪刀輕易地劃破脆弱的皮膚，流出鮮紅色的血。

「救佢！」我大叫。

「現！」南門蔚張一張符貼在牆壁，白符頓成黃色，一股電流隨牆壁傳去，一隻白色的女人頓時冒出，正是我在積水見到那個，她又隱身在玻璃之中。

那個大叔哀道叫吶：「救我……我唔想死……」臉上卻張展怪異的笑容，剪刀不偏不倚插在眼珠，這時血光四濺。

插着眼珠的剪刀，轉了一個圈又一個圈，把眼球的神經線都一一扯斷。

「啊……哈哈……啊啊……哈哈。」

痛苦聲與笑聲夾雜，他仍是保持笑容，令人心寒的笑容。

「想搵佢？太遲啦。」大叔説，卻是一把稚嫩的女聲。

他拔出剪刀，將眼珠吞進肚裏，下一秒想插向喉嚨時，南門蔚叫道：「捉住佢隻腳！」

他躍身一跳，整個人如蜘蛛俠般飛擒天花板，我立時上前抓他，她則燒符，唸曰：**「符魔五束手，現身吾前。」**

那鬼痛苦地尖叫，玻璃全破，露身於我們眼前。

她扯出一條紅線，往它的頸一套，再拉，它整個鬼被索住，她再全身上下綁緊，大唸：**「粉骨揚灰，破。」**

那鬼由魂再化成一堆白粉，經風一吹，消失無影。

「你無事嗎？」我們扶起那個大叔，雖眼睛血流不止，但他仿彿全身鬆一口氣。

半小時後，那個大叔暫時包紮好眼睛。他望見我們仍在，便説：「頭先都未多謝你哋。」

「唔使客氣，舉手之勞。」南門蔚説：「其實我哋為一件事嚟。」

「為我？」

「東華義莊。」

那個大叔閉口不語，皺起眉頭，仿佛我們問了他一道不能問的問題，勾起痛苦的回憶。

「大叔，其實呢件事好重要，背後可能牽涉成個香港嘅性命。」

他欲言又止，南門蔚説：「大叔，無論講唔講，佢哋都會追殺你，啱啱係我哋救咗你。」

「叫我榮叔得啦。」

他想了想，對我們説出下文：

榮叔也是執屍隊的一員，不過是港島區，且經驗比我豐富，有三十多年經驗。

那天深夜，月明星稀，榮叔他們一行四人，駕着黑箱車來到東華義莊。東華義莊背靠山，三面環海，旁邊就是香港華人基督教薄扶林墳場，擁有數千個山墳和土葬位，環望盡是數之不盡的石碑，加上夜晚風涼水冷，陰風陣陣，陰森恐怖。

「行啦，嘻嘻聲搞掂就走。」他們説。

一行四人，拿着一個長方形的鐵箱，步伐迅速進去義莊門口。

四周漆黑無光，月亮微光灑落在東華義莊四隻大字上，顯得分外陰森。

他吸了一口氣，盡是冰冷刺肺的空氣，身體都不自覺抖震了一下。

他們沿着門口直進大堂。東華義莊的建築風格是古舊中式混合西式，顏色以暗黃為主。

踏入大堂，已經一陣棺材香傳出，映入眼簾是數十副棺木陳列，密密麻麻，有些是新式棺木，有些則有百年歷史，已經沒有人再來，連名字都不知道。

「你哋喺度做咩？」

忽然一把聲音從他們背後傳出，嚇了一跳。

回頭一看，有一個六旬老人，滿頭白髮，臉上斑斑滿佈，左眼是濁白色的，他襲一身黯灰色唐服，是東華義莊的制服，應該是義莊的管理員。

「阿伯，我哋受到 Order 要嚟收屍。」同事說。

「喔……執屍佬啊嘛，呢邊啦。」他手執一束香，着我們跟隨他走。

穿過大堂，便是一整排行房，都是「康字房」，這些是獨立房間安放棺木和骨灰甕。

義莊除了大堂，還有數排房，這裏的建築是中西混合，以卡其色為主，背對墳場和大海，因此海涼水冷。這晚月明星晞，黑夜潔淨如詩如畫，只有偶然傳來的狗吠聲。

陳伯每經過一間房間都會上香鞠躬，來到其中一間獨立房間，獨立房間相比外面的大堂，不同之處就是只會獨立存放一副棺木。

「拎住啦。」陳伯把一枝香遞給榮叔他們每一個人。

「阿伯，我哋做緊嘢㗎。」同事説。

「傳統嚟，要尊重。」陳伯冷冷道，這倒也合理，他們沒有再多深究，隨便握在手中。

「阿伯，呢隻咩香嚟？嗰陣味咁特別嘅？」同事問。

陳伯回頭卻沉默，只冷眼盯望他們。

過了五分鐘左右，他們一行來到一間古舊老房。

「屍體就喺入面，你……慢用。」陳伯説了一句奇怪説話，榮叔當時聽不明白，但也沒有深究。

進到屋內，這裏的範圍不算大，只有一百尺左右，屋內通風良好，屋頂處有窗子散熱，空氣尚算流通。

「嗒」一聲，暗黃的烏絲燈膽亮起，發出「嗞嗞嗞嗞」聲音。

廟街有殭屍
Zombies in Temple Street

不亮燈猶可,一亮燈才發現,數百粒黑點圍着燈光轉來轉去,原來滿屋都是蒼蠅,多不勝數,密密麻麻,如同蝗蟲大軍。

「嘩⋯⋯咁臭嘅。」

房間只有一具棺木。棺木是頂級楠木,上面雕刻一些龍鳳花紋,價值不菲,不像出於現代的手藝。

榮叔接觸屍體少説都有數千具,只是這一次真的覺得屍味甚重,如腐爛肉類放置上百天的味道,臭得令人反胃,胃部一搐。

好不容易才止住這份嘔吐感。

一大群蒼蠅圍在棺木上面,繞圈盤旋。

這時才發現,棺木下面全是棕褐色的液體,地上盡是一大堆蛆蟲蠕動,有數百條,它們圍成一個大圓形,活像一個噁心的 Pizza。

應該是棺木的防漏做得不好,這時候就應該用灰油(石灰混合銅油)重新補上棺木外面的破漏。

榮叔極有衝動想一腳踩死它們,不過做正經事要緊。

此時,手中的香不知為何,燒得飛快。

「睇棺木,應該都有成百年,我哋要搬一條百年老屍走?」

「係。」

「不如問咗上頭先啦，好古怪呀成件事，等我一陣。」同事 A 拿起手機。

同事 C 在此時說：「你哋聽唔到聽到有聲？」

「咩聲？」

「好似有個女仔喊緊嘅聲。」

「唔啦，再拖落去我哋又被人鬧。」

「有古怪。」

棺木上有兩條黃色的符，看似有一段長歷史，好像是封印什麼。

「陳伯！有符喎。」

「撕咗佢啦！」屋外傳來他的聲音，但只聞其聲不見其人。

「唉，快做完快走！」

同事 B 已經想急不及待打開棺蓋，撕開符咒，蓋子一動，原本圍着燈光的蒼蠅突然紛亂四撞，一一撞去燈泡，發出拍拍拍的巨響，地上的蟲也四竄不見。

那些液體由原本混濁的棕褐色，開始退成血紅色。

一開，一陣森綠色的氣頓然霧出，榮叔嚇得轉身掩眼掩鼻。

這股氣體極為刺鼻刺眼，眼鼻水流如瀑布。

「啊⋯⋯！」

「救我啊！救我啊！」

「吼！！！！」

忽然傳來驚天震心的呼喊聲，撕心裂肺，充滿恐慌，淒厲得令人害怕。

稍為散開後，張眼一看，只見榮叔的三位同事面色蒼白，手被棺材的什麼東西扯着，眼睛只餘下空洞。一秒間，從一個正常人變得身體的枯乾無水，宛如木乃伊，口嘴有數千條屍蟲不斷蠕走，皮膚開始呈現鱗液。

死了。

「陳伯！」榮叔對外呼喊一聲，還是沒有人回應。

嗦！

眼前的燈光一滅，四周歸回漆黑，唯獨月亮光照進房子內。

微光之中，獨見一對獠牙在他面前。

這時，房間的光又再回來，榮叔終於清楚看見眼前的東西。

滿身褐黑色的血，破舊殘缺的藍色武士戰甲，焦黑枯槁的皮膚，還有……

紫色的眼睛。

千年老殭，永遠不死。

這是殭屍跟人類的分別。

榮叔奪門而出，陳伯早已沒有蹤影，不知去向。

回身一望，它也僵直的跳出來，尾隨榮叔後，月亮光光，牠一躍九丈之高，飛至屋頂。

一陣冷風吹過，才發現他滿身是汗。

嗦的一聲，它如影子般急迅到榮叔身後，身手極為靈活，直接以銳利的指尖一刺，他沒想到它會有此一着，差點反應不急，連忙重心轉換，右腳踏出，左腳輕移，身體向右一傾，驚險地避過這一着。

還未來得及吸氣，它右爪再往他心臟再探，他嚇得身子傾後，左手護擋，右手抓緊它上三口吋手腕。

緊硬如鐵的質感。

它張口一呼，血盆大口裏盡是恐怖的獠牙。

「死……死……死……」

它忽然四肢伏地，如同獵犬一般，伺機而發。

呼，它仿似子彈彈出，瞬雷不及掩耳就飛彈過來，這動作太快，榮叔只可本能地反應側身，下一秒已見對面的牆穿了一個大洞。

它從瓦礫之中站起來，滿身都是白粉，頭也完全歪掉，似斷掉地 180 度緊賠背面，極為怪異恐怖。

榮叔趁着這段時間，往門口跑去，眼前只有跑字，什麼也不敢多想，直到跌倒在地上，一隻手拍着他的肩，他赫然轉身大叫，才發現是一個二十多歲的男子。

「大叔，你無事嘛？」

他四周環望，沒有殭屍……它，早已不知所蹤。

整條薄扶林道一輛車都沒有。

「呢個就係我嘅故事。」他說。

榮叔說完故事，冷汗盡冒，衣服濕透大半。

「我幫你買杯熱咖啡。」南門蔚說。

她離開後，榮叔才説：「千祈唔好去搵佢，雖然我唔知你哋知唔係想做咩，但……佢嗰種生物，真係好似世上最恐怖嘅怪物，你見到佢只會覺得想死。」

「我哋已經遇過，我認同。」我説。

「遇到過？咁你仲去搵佢？」

「我明嗰種感覺，但正正係咁樣，有佢呢種生物喺度，香港只會唔安全。」

「咁又點，呢個地方嘅人唔值得你哋為佢賣命，之前嘅殭屍入侵事件，你喺唔喺度？定去咗外國？」

「我喺度，不過……」不過什麼都忘記而已。

我討厭失憶，好像一個白痴，忘掉曾經的日子，什麼都要重頭再估。

「嗰時……」榮叔的眼睛忽然又痛起來，掩着眼呻吟一番，過了好一會，才忍過痛來。

「你哋係我救命恩人，我先咁緊張，對我呢啲老嘢嚟講，執返條命無咗隻白內障眼都已經係萬幸……所以聽大叔我講一句，嗰次嘅事已經講明，大部分人其實都無所謂，佢哋要唔要自由意志都可以，變唔變殭屍根本無所謂，做唔做人都唔重要，只要苟且偷生到，佢哋都會照做，呢度嘅人係無一條底線。或者你哋覺得我講錯，呢度對你哋好重要，不過事實係唔值得為佢哋面對咁恐怖嘅嘢，有時要狠啲，寧願犧牲一隻眼都唔好無咗條命。」

「我明啊榮叔，我真係明。只不過我覺得如果係大叔講咁，我哋同佢哋都一樣啫，因為某啲嘢可以放棄。其實有啲嘢要做唔係因為值得，而係原則。」

這時，一杯熱咖啡送到，南門蔚回來。

「唉，即係我點講你哋都會去啦。」

「嗯。」南門蔚道。

「我只係覺得陳伯好奇怪，你哋要小心啲。」

「好。」南門蔚説：「呢個符你袋住，可以保你平安，同埋……遠離九龍城。」

拜別榮叔後，我感到心情有點複雜，説不出的嘆息，一方面我認為榮叔是説得對，另一方面卻覺得原則需要堅持。

值得嗎？

坦白説，我也認為不值得。

我所想的是對嗎？

我心裏也沒有一個答案。

「做咩一個人喺度發呆？」

南門蔚見我一個人坐在病房外面，遞給我一枝烏龍茶。

「係咪……都係時候講，究竟個真相係點。」我問。

「咩意思？」

「我同你之間，同埋我發生咩事？最起碼我知道……我應該唔係人？」

大概這是我此生說過最肯定的話，如果此時有一塊鏡子，我知道我的眼神也是堅定無比。

因為她軟化了。

是不是我的眼神軟化了她，這層我就不知道，反正不是現在需要理會的事情。

「你唔係人，講得啱。」她喝一口茶後，凝望地板良久後說：「你係一種叫『殛』嘅生物。」

空氣中消毒藥水味，非常強激。

「勁？」

她瞪了我一眼，說：「殛。」

「激。」

「殛。」

「勁。」

「你鍾意點叫就點叫。」

「咁咩東東嚟？」

「你知道，殭屍比人類厲害得多，生理上簡直係人嘅進化，呢個都係佢哋嘅諗法，覺得自己係人類嘅進化。不過代價係無咗自由，所有殭屍都只會受控於更高級嘅殭屍。」

「嗯，呢層我知道，有聽聞過。」

「殛就係非人非殭屍嘅生物，佢唔受控於殭屍，但有殭屍能力同潛能，同時擁有人類嘅自由意志。」

她說出這句時，完全不似說笑。

「妳講完點解可以唔笑嘅？」我冷笑幾下，說：「我喎。」

她擺出冷口冷臉的樣子。

我皺眉道：「妳講真？」

「唔係你自己想知真相咩？」

「係……但……」我一時間覺得胸口受壓，呼吸漸漸急速起來。

她按着我頭頂幾個穴位，說：「深呼吸。」

好不容易，才喘過氣來，胃部卻又不聽話，翻滾如大浪驚濤，我忍不住在地上嘔吐起來。

她拍拍我背説：「係要啲時間接受。」

吐光後，她又遞上紙巾給我抹抹嘴。

實在難以接受。

面對這樣的真相，我望着自己的身體，一陣抗拒感。

「我……係怪物？」

「如果唔係人就係怪物，咁呢個世界好多嘢都係怪物。」她説。

「只係……有啲難接受。」

我當然知道自己不是人，但沒有想過是歸到殭屍那一類，我有曾經天真地想過，會不會是如外國英雄電影一樣，被什麼不知名怪石照到、或是什麼 PM357 恒星的外星人或是被蜘蛛咬到而變成超級英雄。

我也想自己生而是超人。

原來什麼都不是，我是殭屍。

「你唔算係殭屍，殭屍無自由。」她好像看穿我的思緒。

「我有殭屍能力？」

「嗯。」

「咁往好處睇，我都好似好勁。」

她若有所思地說：「不過另一方面睇，一個有自由意志嘅殭屍，其實同殭屍王無乜分別。」

「喂！Hey！你唔係安撫緊我㗎咩？」

「我只係實話實說啫。」

經她一說，我腦海中浮現着……跟武士打鬥時自己的模樣。

「想要血……想要血……」

「我想要血……」

當回想起自己嗜殺嚐血的樣子……不禁心寒。

難道，這就是她所說？

「不過呢個都係我講下，你唔使當真。」她假裝輕鬆的笑道。

……恐怕……

「咁……我哋嘅回憶呢？」

「我哋係識。」

「嗱！都話㗎啦。」

「除此之外就無。」

「……點解妳唔肯講？點解之前唔認我？」

「唔講得。」

「點解？」

「無可奉告。」她說，這是一條她須堅守的底線。

「何況，而家有更嚴重嘅嘢要做。」

「妳指武士？」

「榮叔講嘅情況，恐怕當時武士殭屍係因為啱啱醒，吸嘅血氣不足，先無追殺到佢，但照咁睇，係一直有人保護緊佢，而呢個人係邊個……就係關鍵，竟然想香港滅亡。」

「係邊個？」

「未肯定。不過呢件事真係好嚴重，佢再吸血落去，全港就無人會消滅到佢。」

「除咗陳道明？」

「或者，但佢唔死都好老，不過傳說都話，得佢先救到香港。因為能打低武士，就得水墨劍法。」

她站起身，準備離開。

「妳去邊？」

「我去義莊，搵嗰個陳伯，好明顯佢係有問題。」

「好，我陪妳去。」

「你好返啦咩？」

「其實我一早好返晒，妳哋都無事啦，何況係妳講嘅，我有殭屍嘅身體。所以……偷出院就得。」

「哼。」她這樣的反應，就代表許可。

月明星稀的晚上，迷霧籠罩公路，如煙霧瀰漫，看不清道路的盡頭。

趁着乘的士的空檔，我問：「究竟我哋係幾時識？」

「伽樓一未有任何消息。」她望着電話說。

「喂，唔好扮聽唔到我講嘢！」

她瞪着窗口說：「唔明你問乜嘢。」

「妳仲要扮，妳都認咗我哋係識啦。」

「普通朋友。」

「一定唔係普通朋友。」

「你有咩證據？」

「我嘅記憶入面有妳。」

「哼。咁唔代表乜嘢。」

「唔止妳，仲有其他人，究竟佢哋去咗邊？」我不忿地問：「仲有呢一年嘅記憶，到底係咩事？」

「到，司機前面有落。」

「又無視我！」

如同那個人所說，東華義莊背靠山，三面環海且鄰近墳場，挺陰森恐怖。我們到達時，已經是凌晨深夜，只有腳踏在樹葉的清脆聲、兩個黑影相伴還有絲絲蟬鳴聲。

深入義莊，但見空無一人，而奇怪的是，門沒有鎖。心裏又有不安的感覺。

而我發現，這種直覺挺準確的。

穿過一排排矮房，我們來到大堂，裏面放着數十副棺木，整齊有列，成一個井字型的擺放，每行三至五副棺木，有的巨如小型寶箱，何其壯觀。

數十屍體集於一處，宛如一個大型殯房，寒氣逼人。

「我真係未嚟過義莊。」我嘆道。

「你最好都唔好希望自己會嚟。」

「點解？」

「呢度只會打橫咁入。」

「邊位？」

忽然遠處有聲音，是一把男聲。

「我哋想搵陳伯。」我說。

有一個二十來歲，膚色清白，平頭穿唐服的男人出現。

我遇過無數人，他算是讓人討厭的一種。

「陳伯？邊位咁夜搵佢？」

「係佢朋友，有啲急事。想問佢喺度嗎？」

「喺度啊，貴姓？」

南門蔚不發一言，我只好說：「韓同南門。」

「跟我嚟。」

「好彩有人帶路。」我說。

這時才覺得那裏不妥，他雙眼盯着我們地帶路，意思是他是身體倒後走，頭還是死瞪住我們，張開口笑着，是心寒的笑容。

「只有死人先會做相反嘅嘢。」我說：「鬼！」

南門蔚不多話,把藏着手裏的符貼在地上。

「貼錯咗,鬼係前面!」我急道。

呼!

一聲巨響,原本放在大廳的數十副棺木都同時爆開,彈出數十隻殭屍,每隻都腐肉帶蛆蟲,核突噁心至極。

它們一同躍起,向我們飛來。緊張關頭,一卦象在地上的符亮出。

「下巽上坤,地風升。」南門蔚説。

符在此刻起了作用,地上凹陷如流石,爆出數十塊土石,隨風加速如子彈,呼呼呼數十聲,正中頭部,逐一將它們擊飛。

「我哋中咗埋伏。」她説。

「唔係啩。」

「有人知我哋會嚟。」

有數隻殭屍剛好避開,從地上竄前,揮爪欲襲,我抓緊時機,雙手入白刃,緊捉住它們的手,借力躍起,勁力向腹部一踢,將它們一群屍踢飛。

從得知自己的身份後,正面對抗殭屍變成是一件不難接受的事。

既然命運如此，那不如接受。

「唔好理佢哋，追出面嗰個。」南門蔚説。

我們跑出大廳，她將一張符貼在門外，關上後，自動起了大火，將屋內所有殭屍燒成灰燼。

月亮光光，照得人如色白，特別是南門蔚，還有眼前的「退後人」，它仍是帶有笑容，不太緊張所有的同伴已全軍覆沒。

「你啲同伴死晒啦喝，唔驚咩？」我問。

「你幾時會覺得蟻係同伴，幾時會覺得死晒會驚？」

竟然會當殭屍是蟻？

它究竟是什麼來頭？

「你有咩咁勁？」

「比你哋人類嚟得好。」

「陳伯係邊？」我問。

「陳伯咪就係喺你面前囉。」他説。

眼前的他，不知如何，竟由一個年少的人變成一個白頭老人，如同幻影變身術。

「你係陳伯？」

「你個心係點諗，咪睇到乜嘢囉，我只係畀你想見嘅一面你睇。」那男人説。

「唔係普通嘅鬼，可能係魖。」南門蔚説。

「魖？又係乜春。」

我想上前時，他又換了一個形象。

是……母親？

我的母親？

眼前的景物變成水……水中有一畫面。

「嘩……好叻過，今次考試有六十分。」母親摸摸細佬的頭。

「我有溫書嘛。」

「獎你今次考得好嘅禮物！」她遞上一盒包裝精美的禮物，體積龐大，細佬興奮地拆開，正是他最想要的樂高積木遊樂場……不，其實只是我想要，細佬根本沒有興趣。

只是我想要而已。

「嘩！多謝媽咪。」擁抱一刻，他目光投向我。

　　我下意識收起手中的一盒 HB 鉛筆，這是我考了九十分的獎勵。

　　胸口有一股說不出的鬱悶，吐不出，又消不去，像一團小火，燒起心中的不快，灼熱燒心。

　　很不舒服。

　　「快啲去溫書啦，下次考好啲。」

　　「好！」

　　經過我身邊時，他笑說：「冒牌貨，你只係替代品，同我哋無血緣。」

　　「醒啦！」南門蔚摑了我一巴，原來我又在發夢。

　　「我……」

　　「幻覺。」

　　「點解成日都係我中招……」

　　「唔好望佢隻眼。」

　　他奸笑如狼，南門蔚燒符，正欲反擊，但他忽然出現在她身後。

　　「以為咁就有用咩？」他說。

「蔚。」

「婆婆。」

竹林之內，風吹過平靜的草地，只有幾片枯葉奔跑至劍上。

一饅頭，一劍。

「休息夠。繼續。」

她點點頭，用幼嫩且滿是紅腫的手，握着劍，往竹刺去。

「再快啲。」

「係。」

「要有重心。」

她吸了一口氣，畫一個半圓，徐刺揮劍。

前方的竹應聲而倒，斷成兩半。

婆婆見狀，一巴摑去她，臉上頓現紅拳印。

「墨氣運行得唔夠。」

「係。」

「你爸爸喺妳呢個年紀，已經可以以劍御氣，將三尺之內嘅竹都順連斬開，點解妳連一個都咁難。」

「對唔住，婆婆。」她眼眶盡是淚水，卻忍着不流，因她知道婆婆最不喜歡就是別人哭。

「妳知，對唔住唔係一個答案。」

她望着月光，似是思念故人，再望向自己的孫女。

「我會努力。」

「再練。南門名族個名，唔可以敗喺妳呢一代，同樣唔可以輸畀伽氏。」

她不知道山有重水，也不知道水有多深，但南門，這個姓氏是她從小便能感受到最為沉重的東西。

竹林是她前半生最常見的地方，成長之中一直沒有什麼玩樂，沒有什麼童年。

因為她的命運一早已經決定好。

驅魔名族，不能出一個廢物。

「睇夠未？」南門蔚冷冷地説，轉身抓住那男人的頸，他馬上化為煙霧，飄走遠處。

「嘩，妳係第一個可以靠自己力量走返出嚟嘅人，好叻好叻。」

「唔好以為自己好勁，可以玩弄其他人。」

「哈哈，人類真係一樣有趣嘅生物。」

「係邊個派你嚟打開武士殭屍嘅封印？」

「一個你哋惹唔起嘅人。」

「二打一，你輸硬啦。」我説。

他不以為意，將手化為虛體伸進地面。

「萬將骨枯。」

「啊！！！！！！！」尖刺破聲響起。

地上忽然冒出無數的手，每一隻都是破爛的，不是缺了皮，就是少了塊肉，有些還能見到骨頭，少數也有數百隻，一同都地底破土而出，抓住我們的頭。

我被數十隻枯手抓住了，無法發力，那些鬼手力氣甚大，將我緩緩扯倒，實在難以站立，拉倒在地後，一隻、兩隻手掩住我的面，不消一秒將我活埋。

「救命……」

我連救命都無法説出，已經眼前全黑。

「呼呼嗚……」

一股強大的熱能傳來，終於再現光線，原來南門蔚施以火符，將數百隻手燒成火海，場面震撼。

「仆街鬼！」我大怒，一拳揮向男人，誰知他又化為虛體，避開我的一拳。

「你哋人類真係太廢。」

她接連掏出十二道符，掛在身前，揮劍斬向那鬼，那隻鬼化成煙霧，避開所有的物體攻擊。

「想殺我，真係無乜可能。」

她劍式兇狠，招招要害，但斬不中也沒法。

「天真。」

她燒起身上的符，灑向空中，頓時成一縷煙，飄到雲上。

半晌，沒有任何作用。

「廢招。」

就在這時，空中下起一場大雨。

「落雨？」

原來不是雨，是紅色的小針刺。

「咁識避，我就將呢度夷為平地。」她説。

「第十四卦，外離內乾。」她結手在前，唸道：**「火天大有。」**

空中的小刺爆出一個個火花，連連而發，數秒之內，全景盡入火陷風暴之中。

他避無可避，她趁機疾刺，如迅雷閃電，他正欲化成煙，卻已不及，快劍插破他的身體。

「講，係邊個叫你嚟？」

「唔講，卑賤嘅人想我開口。」

「唔講？好。」她扭動劍柄，他痛苦尖叫。

「用酷刑？」我問。

「必要時必要法，講！」

「唔講！」

她唸起經文，一種我聽不懂的語言，但一念就足以他痛苦不已。

「ཟ་ཡ་ཡ་པ་ཟུ་ཤ，ཟ་ཡ་ཡ་པ་ཟུ་ཤ，ཟ་ཡ་ཡ་པ་ཟུ་ཤ。」

他痛得死來活去，像萬箭穿心一樣。

「我係唔會畀你死，除非你講。」

**他受盡酷刑，終吐出一句：「城寨……嬌我妖……」
後就化為煙霧……**

嬌我妖，這個名字……好像在哪裏聽過……

是電視？不是。

是電台？也不是。

應該是……九龍城那隻女鬼。

對，就是差點遭那隻女鬼強姦，騙去我的貞操。她在
臨死前，曾經説過能幫助遊魂投胎的人。

嬌我妖……

「佢講嗰個名……我聽過喎。」我説。

「好正常。」她嘞一聲放下劍，似是無力再握，冷汗
冒出，坐倒地上。

「無事嘛？」

「……」

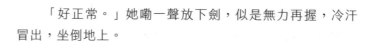

她沒有回應，喘了幾口氣，呼吸才稍回正常。

「妳係咪用得太多氣。」

「嬌我妖係香港好出名嘅鬼妖。其實都正常，出到咁高級嘅鬼，都知一定嚟自城寨。」

「城寨？」

「我哋無乜時間解釋⋯⋯睇嚟今次呢件事，係日本同本地城寨合作。」

此時，寒風冒起，冷風颼颼而吹，天空本是高掛光高潔的月亮，現在反月亮卻逐漸染紅，那種紅不是常見的，既非鮮紅，也非深紅，像是血染上什麼污穢的顏血，唯一可說比較類近是血色混森綠色。

這個月亮，有一種無名的陌生感。

而光線，好像越來越暗。

「時間無多係咩意思。」

「朔紅月日就嚟到。」

「呢個又係乜嘢嚟㗎。」

「無時間，但我都大概明白晒所有嘢，一邊行一邊講，首先要搵返伽樓一先。」

第六街　山雨欲來

我們再跟伽樓一於堅尼地城的岸邊相聚，這時已經過了兩小時左右，天色變得更為奇怪，暗邃之中，有一種怪紅照到香港，而赤月正漸漸被一個黑影吞噬。海浪翻滾不已，天空無數鳥獸往南飛走，數量多得遮蓋大半個天空，好像意識到有什麼大事將要發生，事先逃亡一樣。

平常見伽樓一嬉皮笑臉，但重遇時，他也眉頭深鎖。

「點解會咁快？」他問。

「我都唔知。」南門蔚説。

「咁就麻煩。」他説。

「會點？」我問。

「朔月，當月亮運至地球同太陽中間，阻擋一切光線，本身係至陰之日，喺妖怪界一般都稱為復活日，所有鬼妖法力大盛之時。加埋千年一遇紅月日，更加係至陰遇上至陰，係畀殭屍恢復力量嘅好日子……你話同嗰隻殭屍無關係，我真係唔信。」

「天時地利人和。」

「啊！！！救命啊。」另一邊岸，有幾個釣魚發燒友驚惶地叫，原來忽然，無數魚從海裏彈上地面，如自殺式襲擊，不斷在地面掙扎至死。

「發生咩事？」我問。

「呢日係陰陽易位嘅日子，我諗再唔阻止隻殭屍，香港真係再現一年前嘅事。」伽樓一説。

「可能更差，因為無人可以阻止到佢。」

「除非⋯⋯陳道明。」我説。

「可能，但無人搵到佢。」南門蔚説：「伽樓一你嗰邊查成點？」

伽樓一他負責追查陳 Sir 的事，看來已經有結果。伽樓一去到花子最後所提的學校調查，本來沒有什麼消息，學校那邊回覆，陳 Sir 已經停職一段時間，從某天起，他就沒有回校上課，學校書記多次聯絡也沒回音，也不知道為何，就似無緣無故失蹤，他們便請了一位新老師。

「幾煩啊，我哋搞咗好耐，你都知中間請人有幾難。」那個書記姐姐説。

「明白。咁你知唔知佢啲朋友有無咩消息？」

「如果有，都一早同我哋講咗啦，佢喺學校本來就好孤獨。」

「咁妳會唔會有佢哋址？」

「呢啲個人私隱嚟㗎喎，我哋唔可以畀人㗎。」

「我知嘅，妳講得啱，不過咁⋯⋯妳唔想可以搵返佢咩？我都無惡意㗎，只係有事搵佢，咪可以幫妳搵埋佢啦，我都係幫下妳手啫⋯⋯一有咩消息⋯⋯我哋出嚟食餐飯交流？」他以迷人的眼神眨一眨眼，那個書記便如觸電般，長年累月在學校枯燥乏味的生活，心靈早乾涸，現在她看見一個帥哥，如同沙漠中的綠洲，不禁有點心動。

「嗯，見係你咋。」她壓低聲音說：「唔好同任何人講。」

她偷偷將地址抄寫在紙條，遞給了他，伽樓一收到後立即放入衣袋中，神不知鬼不覺。

「放心啦，有咩消息我會再通知妳。」

「食飯㗎。」

「食飯。」

「咁我等你。」

他轉身就走，揮一揮衣袖，不帶走半點雲彩。

轉眼間他已到了陳 Sir 在青衣的住址，按了數下門鐘也沒有人應門，而且門外的信箱早已塞爆，地上也佈滿塵埃。

應該一段時間沒有人在。

他確定屋內沒有人後，便將一個銅錢放在門鎖旁，唸道：「靠乇，開。」

銅錢發出金色光線，門鎖響了「咯」的一聲，自動打開。

開門而進，屋內傳出一陣酸臭味，來源是枱面上的飯菜，早已發霉變紫，其餘地方也一片混亂，窗亦沒有打開，盡是死空氣。

牆上以紅色的大字寫着許多案件，包括先前的順利、荔景邨事件，交代詳盡的人物圖和他所策劃的計劃過程。

一切都如計劃進行。

伽樓一留在原地一一查看，了解所有他的構思，大概就是陳 Sir 接近不少的人物，將「鬼魁」放進他們的身上。這種鬼並不是我們認識的鬼，不會控制到人的身體和思想，但能放大人的欲望。

如果口渴，會加倍想喝水；如果憤怒，會加倍想打人……

但他為何要這樣做？

伽樓一想不明白，這樣做對他有什麼好處，直至打開房門，看見一條屍體吊在天花板，牆上寫着：「我終於能去九龍城寨，天國。」

屍體就是陳 Sir。

事件大概就是這樣。

「我估佢係受咗一啲人迷惑，以為做一啲事、完成某啲任務就可以上天國，但詳情係咩我都未知，呢個都係我推測，只不過……一定係關佢事。」伽樓一總結道。

「係嬌我妖。」南門蔚說。

「嬌我妖？佢縮喺九龍城寨咁多年，佢終於有行動？」

「睇嚟今次係有日本幫忙。」

「有大風暴嚟緊。」

海浪開始越翻越高，天色異變得不尋常，風勢之大，狂野地捲倒地上不少垃圾桶，吹倒街招，連人站立也感困難。

「而家下一步要搵到嗰隻嘢，呢件事都唔係我同妳可以解決，搵工會幫手啦。」

「但……」

「雖然我知妳唔鍾意，但大事為重。」伽樓一說：「我諗妳都明？」

「我明。」

「妳係擔心佢啫。」

「我？」我指着自己。

第六話
山雨欲來

「嗰仔，我派你去做一件事，陳道明最後出沒嘅地方就係樂富，我想你去佢舊居，睇下有無線索，如果隻殭屍喺朔紅月日，真係吸滿人血，恢復力量，就無人夠佢打。」

「唔得。」南門蔚搖頭，極力反對此事。

「點解？」

「樂富太近九龍城，太危險。」

「妳覺得工會危險定佢？何況妳唔使太擔心佢，佢得。」他望着我説。

「無可能。」

「信我啦，我得㗎。而家末日啦。」我説。

南門蔚是一個耳根軟的人，幾次的勸説後，她終於同意。

我們分道揚鑣，臨別前，她再三叮囑我不要勉強自己。

「千祈唔好進入一啲……奇怪地方。」

「我明。」

他們趕路去找武士殭屍，而我則一個人前往伽樓一所給我的地址。

第七街 最大的鬼域‧九龍城寨

不久後，我便來到陳道明的舊居。所謂舊居，其實是一幢唐樓的舊單位，多年沒有人居住，只有殘物鋪滿塵。搜索一番，不知有什麼得着，全是破傢具……

惟獨枱面放着一物，上面寫着：「脫三界，似近非近惟心中。」

是一個刀幣。

不知為何，直覺刀幣是有關的，因此我拿走了。

走到街頭，想等巴士，卻無車無人。正當我在惆悵之際，忽然之間，我聽到一陣汽車經過的聲音，心想這次有救了，車燈的光穿過重重迷霧，我看見一輛紅色的小巴，從公路的盡頭駛到我的位置，然後啪的一聲打開門。

這輛小巴跟我平時遇到的有點不一樣，卻又說不清楚是什麼，好像是比較舊式的款式的小巴，現在還有舊款的小巴行駛嗎？

我沒有深究多想，還是先離開這個地方才說吧。

車上的位置基本上都滿座，只有一個位置，我想也不想就上車，才發現沒有八達通機，那麼如何付錢？

戴黑色墨鏡，頭髮蓬鬆亂披肩，穿着紅色的 T 恤，口中叼着一支煙的司機，望着我手上拿着的刀幣說：「呢個。」

我放下那個刀幣就回到座位上安座。

「司機，係咪出返堅尼？」

忽然之間，整輛小巴的人都轉頭望住我，他們的轉頭是真的語言上指的轉頭，就是整顆頭 180 度轉身望着我，表情怪異，詭異地笑着說：「係，會帶你去一個地方。」

是夢？

之前發過的夢？

小巴緩緩地開出。

然後，我來到一個不可想像的地方。

無數的霓紅燈招牌，一座又一座殘舊的高樓，密密麻麻似是一座大城。

「司機，呢度係？」

「你畀嘅錢，就係㗎呢個地方。」

說罷，他與一班奇怪的客人就駛走。

刀幣是來這個地方？難道陳道明在這裏？我緩緩走進城內。

剪刀聲不絕，再走前幾步就是一間理髮店，典型老式上海舖，就在後巷的一角，有一個老伯背着我，幫着一個小朋友剪髮。

嚓嚓嚓⋯⋯

剪刀幾次開合，煩惱絲應聲落地，滿地都是髮碎，小朋友正悠然自得。

「老闆，請問⋯⋯」

「無空呀。」老闆操一口北方口音。

殘舊的收音機在發出嘰嘰聲。

「想問下你，呢度係咩地方？」

「唔得閒呀，唔見到我做緊嘢？」

「吓，但係⋯⋯」

「奇怪咧，點解剪極都係仲有⋯⋯奇怪⋯⋯奇怪⋯⋯」

老闆開始加快剪髮速度，嚓嚓聲不絕，髮飄滿地，如雪輕散。

小朋友忽然嚎哭起來，我定睛一看，原來他已無頭髮，剪刀所至之處盡是皮肉，血肉淋淋，開始見骨。

「喂！老闆你係咪黐咗線？」

正當我想阻止的時候，不知怎地，數之不盡髮變成屍蟲，在小朋友的頭上破肉而出，從碎肉的小孔鑽出，不停蠕動，地上和頭頂的屍蟲都緩緩爬至老闆身上。

第七街

最大的鬼域‧九龍城寨

「點解……」

不出數秒，他已成枯骨……

「哥哥……我個頭呀。」

這時從鏡子裏，看清他是一個無臉的人。

「嘩！」

回過神來，他已消失不見。

這個地方，很怪……

肚子傳來肌餓感，前方正好有一間老舊的士多，老舊的鐵閘拉門。

店內紅字寫着：「**九龍城寨第二百〇一號**」。

上前一看，店內空無一人，只有殘舊的收音機在發出嘰嘰聲，而有一蒸爐在蒸着什麼食品。

「慢慢走……勿亂跑，恨怨帶不走……司機叔叔在你身後……」

收音機唱着一首詭異奇怪的歌。

這什麼呀？

「有無人呀……」我問了一句。

打開蒸爐，竟是咖哩魚蛋。

忍不住放下金錢，吞下幾粒，卻跟一般魚蛋不同，比較大顆和多汁，口感非常特別，似是肉丸之類的物品。

「哥哥……」

一個白衣的小女孩不知何時站在我的身後，她整張面孔陷入漆黑之中，只看見她的腳。

正當想詢問她這裏是哪裏時，她卻搶先一步開口。

「哥哥……可唔可以幫我搵返啲嘢。」

「你要搵返咩？喺邊？」

「我都見唔到，只係知喺你附近。」

「太黑見唔到？」

我沿地面搜索一翻，空無一物。

「無乜嘢喎。」

「見到你啦。」

回頭一看，手上那幾粒魚蛋……不，原來是有黑點的，是人眼。幾顆人眼不約而同一致瞪住我。

她靠前，微弱的燈光終於看清楚她面上只有兩個血淋淋的眼洞。

「還返隻眼畀我⋯⋯還返隻眼畀我⋯⋯」她血淋淋地流出血淚。

正當她奸笑之際，有一個女生出現在門口。

「走！」

她一聲令下，那個小女孩便落荒而逃。

那女生清純雪白，大約十六七歲，仿彿獨立於這污地之外。

「你點解會喺呢度？」她皺眉問。

「我點解會喺度？」這是女生搭訕的問題？

「呢度係九龍城寨。」

我認真地環顧四周，只見非常舊式的香港高樓，還有不遠處還有一間士多，亮亮着白茫的燈。

「你唔應該入嚟呢度，呢個地方唔係你嘅。」

「無問題，咁我出返去。」

「咪住先，你去邊？」她扯住我的衣衫。

「妳又叫我走，我都覺得此地不宜久留。」

「你唔會自己走到。」

就在此時，她忽然掩住我的口，我正當反抗之際，嚓嚓幾聲，後巷的盡頭是一簡陋的男廁，男廁轉角正是通向另一條街，有一個高大的黑影略過，腳履聲鏗鏗，細看之下，才發現它全身血跡斑斑，長着三個狗頭。

這是什麼怪物？

她輕力拉我在士多店躲避，二指壓在我嘴唇，示意我不要作聲。

「唔好漏出絲毫你嘅氣。」

（即係點？）我用動作問。

她把店內一部殘舊的收音機聲調大。

（呼吸。）她輕聲地說。

我屏息靜氣，待那隻怪物經過後，才呼出一口大聲。

「頭先嗰隻究竟係咩嚟㗎？」我問，似屍不似。

「你唔可以留喺度。」

「我入嚟係為咗一個人，應該係話阻止一件悲劇發生。」

「我唔明你講乜嘢，但係如果你繼續喺度嘅話，你好大機會死。」她緊張地道：「呢個唔係一個畀人嚟嘅地方。」

「明白，不過你知唔知一個叫『陳道明』嘅人。」

「陳道明？」她皺眉頭説：「好似有印象聽過呢個名，但佢係邊個我真係唔知。」

「真？」我沒有想到真的可以找到，簡直如神蹟一樣，我只是無緣無故地進來……一個怪地方……

九龍城寨。

印象中，好像聽過伽樓一説過，這裏是最大的鬼界，如果他所説為真，我就是來到全港最大的鬼域。

鬼域，陳道明真的會在這個地方嗎？

「唔該妳啦，我一定要搵到佢，如果唔係嘅話我出返去都冇用。」我説。

「佢究竟係邊個，值得你用條命入嚟搵佢？」她説：「呢度真係好危險……唔係你人類應該嚟嘅地方。」

「佢係一個好重要嘅人，決定緊香港未來嘅命運。」

「我真係唔知……但得城寨嘅瑤婆可能幫到你。」

「瑤婆？」

「係啊，佢喺城寨最老㗎啦，年資最長，基本上乜嘢城寨嘅事佢都會知道，如果有乜嘢唔識，一定係去搵瑤婆……我諗，你想搵嗰個人，如果佢真係嚟咗城寨嘅話，瑤婆應該會知道。」

203

就在此時，收音機傳出廣播聲，聲徹全地：「所有城寨居民注意，有一男子闖入，捕獲者可獎元寶……重複，所有城寨居民注意，有一人間男子闖入，捕獲者可獎元寶……」

「而家成個城寨都要追捕你……」她輕牽我的衣袖說：「跟我嚟。」

「點解妳要幫我？」

她沒有回應。

長窄的後巷錯綜複雜，令人不辨前後，抬頭盡是無數一模一樣的舊式唐樓，如同八十年代的城寨，她領我左穿右逛，我如同一隻無方向的綿羊被人領着走。

我們進到其中一幢，殘殘舊舊，牆上滿是剝落的漆，還有血色大字寫着：

「死死死死死死死死死死死死死死死。」

「我不想再自殺。」

「殺了我！殺了我！啊！」

「鬼地方！！！！！！！」

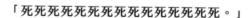

「呢啲乜嘢嚟㗎？」我問，但或許她太過專心帶路，完全聽不到。

還有遠方有一具白色、像女屍的東西，躺在地上一動也不動。

忽然傳來腳步聲，她說：「一陣見到乜嘢，都千祈唔好望，唔好理！」

「點解？」

「唔好問點解，呢度係唔需要問點解。」

來到二樓的走廊，但見一個頭部斷開兩截，能看見裏面大腦在彈動的男人下樓，只單單看着我，而我也照那個女人所說，轉頭向另一面。

「要幫手？」他問。

我還是不答，他只好離開。

穿越走廊，那走廊是開放式，只是外面仍是密密麻麻、集得不可透氣的大廈，天空掛着一個大得可怕的月亮，比起平常的大三倍左右。

走廊的盡頭站着一個白衣女人，全身白色，她身長細腰，臉毫無血色，她只凝望到地面，然後站上走廊，想也不想地跳下去。

「喂！」

「唔好！」她想拉住我，卻為時已晚，我衝上前已一手捉住那個想跳樓的女人。

205

「捉住我啊！」我用盡力地説。

「多謝你，我搵到替死鬼。」那女人嘴角勾上，詭異地笑道，鬆開我的手跌到一樓平台。

忽然間，我整個人像移形換位，被一股無形的力扯住，吸到那個女人的位置，雙腳不受控的向前踏出，跨越欄桿，往高地躍下。

正當我「被跳樓」，快將粉身碎骨時，幸好那個女生及時用側旁的掠衫叉，一手叉住我。

「好彩有妳。」

「……」

當她好不容易將我拉回走廊間，我嚇得半死。

「唉啊！叫咗你唔好，你做咗佢嘅替死鬼啊！」她焦急地説道。

「替死鬼？」

「你究竟知唔知呢度係邊度？」

「九龍城寨嘛。」

「咁呢度有啲咩特點？」

「係鬼嘅界域。」

「呢一度之所以係鬼嘅界域,原因呢度每個人都係無法往生。人嘅壽命早有定數,當一個人喺佢預期壽命結束之前已經死咗,佢只能變成一隻遊魂野鬼,一直流連喺度,謀殺,被殺,自殺嘅人都一樣係咁,會一直重複佢生前嘅動作,直到佢陽間嘅壽命已盡,先至可以往生。」

「所以……?我會不斷自殺?」

「係,因為你已經成為咗佢嘅替死鬼,你會代替咗佢,填補咗呢個空缺,一直完成自殺呢個動作,直到佢嘅陽壽已滿……哎呀!點算……」她不知為何,替我憂愁起來。

「搵返佢?有無得救。」我問。

「搵返佢。」她問:「你啱啱有無見佢去咗邊?」

「佢好似落咗一樓,然之後就跑走咗。」

「咁我哋去一樓搵返佢!」

我們瞬間來到一樓,在整層搜尋一番,都找不到她的蹤影,反而遇見許多怪人,包括整個單位都着火,一家人在裏面被盛火燒着尖叫,卻怎樣都死不去;有在地下吃着土灰塵,整個肚漲得快要爆的人;有目無表情,只用刀不斷插着自己的肚,血流滿地的人。

這是一個奇怪嘅空間,不止有怪物,還有無數自殘的人,如果説哪裏是地獄,這裏就是。

另一方面，這是他們後來憶述……南門蔚跟伽樓一正馬不停蹄地追尋那隻武士殭屍，希望在它完全復活前阻止它。

天色異紅如幻色，變化不斷，全城居民都陷入恐慌，是自上年殭屍入侵以來最為驚怕的一件事。

無人知道會發生什麼事，只知道一場腥風血雨正侵來，而普通人最驚怕自己只是一個普通人，無力抵抗一切，這才是最恐怖。

街道上無一人，烈風將整座城市都像搖搖欲墜，四周只有倒樹。

轟雷一聲響，震動全港，仿似要裂天，又似巨大的神明在怒嘯。

「叫咗工會嘅人幫手未？」南門蔚問，他們正駕着車，奔去香港屍氣最旺盛的地方。

肉眼都可見，滿集屍氣的地方。

尖沙咀。

「搵咗啦。嘩，而家成條街都係屍氣，都唔知邊個人邊個殭屍。」伽樓一駕着車，點起煙來說：「暫時只有三區工會嘅人應咗。」

「三區？哼。」南門蔚不屑地輕哼：「全港嘅命，淨係值咁多。」

「妳要知道，有妳喺度，係有好多人不滿。」他吸了一口氣，緩緩吐出煙霧：「我本身個名都好好，而家黐多咗妳都臭晒。」

「佢哋呢個時候仲計呢啲。」

「妳係難做喎，夾喺中間，最唔討好，一邊妳又係工會嘅人，一邊妳又要保護佢……」伽樓一輕笑說。

南門蔚空手熄滅伽樓一的煙。

「唔好以為我唔知你想做乜，一直推佢出去。」

「我只係幫佢啫。」

「幫？幫佢去死？」

「哈哈，咁又唔好咁講，我係幫佢發揮佢最大才能，而家嘅佢，根本同條蟲無分別，我係幫佢成為人中之龍，如果唔係就浪費。」

「你唔驚咩？」

「驚咩？工會？」

「嗯。」

「哈，工會。我從來無放佢哋喺眼中。我伽樓……」

忽然，一個滿身鮮血的女人撲出馬路，撞在他們車前，伽樓一馬上剎車。

是一個孕婦，正當他們想下車時，南門蔚拉住了他。

「先唔好……」

「唔該你啊。」孕婦說。

「唔使。」

「啊……啊……！」那名孕婦奸笑一下，眼忽然變白，露出尖牙，肚中爆出血漿，彈出一隻這怪物，似異形又非異形，無眼有口，腦部佔滿整個頭，四腳而走。

似怪物。

「開車！係東洋嘅詛咒殭屍。」

它們打破玻璃，伸爪而進。

「火天大有！」南門蔚趁機貼符，火燒它們的手，但卻無任何反應。

「報忠國家！」它們尖叫。

「準備跳車。」

「喂，妳要做咩啊？呢架車我㗎！」

她已經唸起經咒，手執三符說：**「上火下澤，火澤暌，跳。」**

二人同時跳車一刻，爆出巨大火龍捲，直將二怪燒死。

210

　　滾了數圈，他們好不容易站起身，應該在油麻地的附近，正好在百貨公司對面。

　　滿街都是孕婦殭屍，數之不盡，少説也有數百，孕婦們……緩緩步向他們。

　　「今次仆街……可以食煙未？」

　　「食飽佢，無人阻止你。」南門蔚道。

　　放眼盡是孕婦，密密麻麻，它們如同散亂的大軍開始步步進逼。

　　「嘩，真係醫院都見唔到咁多孕婦。」伽樓一説：「呢啲恐怕係當年隨軍嘅屍體，慰安嘅從軍女人？仲要係大肚。」

　　「大肚好多時都會死，積冤成屍合理。」

　　「睇嚟隻嘢係越嚟越勁，有咁多佢嘅同伴出返嚟。」

　　「可惜。」她説。

　　「你唔係同情殭屍啊，好似嗰個嘅仔咁，感情用事。」

　　「無，見一，殺一。」

　　他們雙雙拔劍，衝入千軍萬馬之中，無數孕婦圍堵他們，肚中如同先前的婦人，一一爆出怪形嬰兒，極其嘔心，不消一會，已將他們重重圍住。

一道水墨迎風捲來，伽樓一揮動銅錢劍，沿天畫圈，滅絕方圓數米圍繞的殭屍，揮斬數百殭屍。

不過死掉的，仍有後面補上，漸漸他的氣力也撐不住，二人開始後退。

「前面太重兵力，我哋根本入唔到，轉路啦。」伽樓一說。

「上樓。」

他們轉移目標，沿着名酒店方向奔去，入到大堂，早已人去樓空，而後面一班殭屍大軍殺到。

他們衝入電梯，剛好在一隻殭屍擋門前關門直上，時間剛剛好。

「而家點。」

沿透明玻璃電梯俯視其下，數百數千的黑點多得繁星一般，只是少了些浪漫味道。

「我有計。」伽樓一說。

酒店的二十樓以上是連接鄰座大廈的天台，既然行陸路不行，倒不如走「天路」，可以避開地上所有險阻，特別那群孕婦怪物。

「係呢間房。」伽樓一說。

他們坐電梯到二十樓一間尾房，由於酒店空無一人，他們基本上自出自入，沒有人理會。撞開房門，進到裏面，打開窗簾，對着的正是鄰座唐樓的天台，空曠一片，只有花盤數十。

「連接？」南門蔚問。

「差唔多啦。」

説是連接，其實相距仍是有一段距離，大概有十來米。

「你又知道呢度係對住？」

「妳以為平時我同啲女仔開房係喺邊度？」伽樓一自稱去過全港無數酒店。

「算，係我問錯。」

「估唔到我同妳都有一日可以單獨嚟酒店。」

「收聲。」她沒空理會他，徑自用劍柄敲破酒店的玻璃窗。

「如果妳驚，無膽跳嘅話，我唔介意抱住妳跳……」

話未説完，她已經一躍而下，跳到對面天台，姿態優美，仿如運動選手，落地完美。

「嘩。」他幾乎想拍手掌。

「仲唔過嚟？」她用手勢表示。

伽樓一望一望風雲變色的天，風勢好像越來越大，他從未見過如此大風暴，呼了一口氣，說：「希望個嚫仔真係搵到陳道明，靠佢。」然後往天台跳去。

第八街 消失的記憶

九龍城寨．鬼域。

「呢啲人全部都係有問題？」我問。

「係，呢度……最可怕係佢哋已經死咗，唔可以再死一次。我諗如果有得死，佢哋會寧願死……可以離開城寨就只有一個方法……」

「咩方法？」我問。

她沒有回答，只道：「嗰面走！」

我們回到地面，穿過幾條窄巷，路上盡是吸毒的白粉友，不時都會倒在地上，全身抽蓄，像被電擊一樣。

「真係會喺度咩？」

「我都係估。」

走過幾條街，來到一處空地，相對窄巷，這裏顯得空曠，還有龐大的月亮。

月色照映下，是那鬼的身影。

這是一間幼稚園，座落於九龍城寨的中心位置，只有一層，四面圍城。

　　她站在幼稚園門口，隔着窗口像偷窺什麼，沿她的目光望去，是一班小朋友（大概已經死了）搭着膊頭在玩火車捐山窿，樂得開心，卻活像九鐵以前的鬧鬼廣告，雖然死了，卻依然有久違的歡笑聲。

　　這個怪異的空間，竟然有個似人間的空間，關鍵是笑。

　　她的眼神，不再像剛才的怨靈，而是解開心結一樣，流露出母愛。

　　「佢係媽媽？」我問。

　　「我估係啩。」

　　那種母愛的眼神，我忘不了。

　　記得我母親小時候曾經也有這樣望過我、摸過我、愛錫過我……直至弟弟的誕生後，一切都改變。

　　但我明白，親生的是不一樣，人性所然，所以我沒有怪過母親。

　　只是，血緣的問題，我也無力挽回。

　　她的眼神，跟我母親相似……這種久違的熟悉感。

　　「我哋上去搵返佢！仲有時間可以唔使做佢替死鬼。」

　　「等等！」

「做咩？一陣佢就走㗎啦！」她說。

「我……明。」

忽然間她不經意轉身望見我們，嚇得渾身是汗，準備逃走。

我追趕住她，大聲喝住：「唔使走啦，我冇諗住做啲七嘢，你繼續留喺度陪你個仔啦。」

她止住了腳步，不敢相信的轉身，仍是不斷後退，眼神似乎有點懷疑，問：「點解你要咁樣幫我？」

我說：「我唔係幫你，我係幫你個仔。」

「我個仔？」

「唔係咩？就算做鬼，佢都需要有個大人陪住佢。」

她馬上俯伏在地，頭撼在地上，撞得咚咚聲，說：「多謝你、多謝你……我真係唔知可以點樣講，我都唔想嘅，嗰陣時我只係一時諗唔開，無諗過之後會一直都……」

我說：「我明白。」說完便轉身就走。

那個女子跟在我後面，不明不白地問：「你黐咗線？咁你點樣？」

「都冇得點，咪每日都喺度跳樓一次。但我好似身手都唔錯，應該死唔去。」

「你知唔知你有種激嬲人嘅能力。替死鬼咒語落咗，除非死咗，如果唔係一世都改唔到。」

「係，但我信直覺行事，相信時間會證明我係啱。」我反而好奇剛才那個女人，問道：「其實佢喺度幾耐？」

「我都唔知，好似自我有記憶以來，佢已經喺度。」

「即係好耐？」

「係。但你係咪黐線。」她站在我身前，以不可思議的眼神望着我説：「無人會咁做。好似你呢啲咁天真嘅好人，係生存唔到。」

我説：「咁你都好人幫我，違反緊城寨嘅法律。」

她眼神閃縮，顧左右而言他：「已經係宵禁時間，瑤婆瞓咗，我帶你返屋企先。」

她帶我回到自己的家，是一個一百多呎的劏房小單位，一開門便有一個小朋友衝過來抱着她的大腿，大約五歲左右，像圓眼大耳，十分可愛，嬌嗲地説：「家姐你返咗嚟啦！！我已經學識咗點樣控制嘢。」

説罷，他便用手往遠處的一個鐵兜指去，然後鐵兜像被念力控制一樣，在空中搖晃不停地震動。這個時候他才意識到他姐姐的身後多了一個人，正是我。他一看見我這個陌生人，便驚慌起來，念力中斷，鐵兜應聲落地，發出清脆的響聲，他立即躲在家姐的身後，露出半隻眼睛問：「呢個係邊個嚟㗎？」

219

「佢係好人嚟，唔需要驚。」

「好人？」

「應該係話佢係名義上嘅人。」

「人？」

「就係我哋未死之前嘅狀態……」她喃喃自語地說：「亦都係我哋將來……」

「嘩！點解會有一個人嚟咗我哋呢度？」他拋下剛才的害怕情緒，往我的身邊轉了一個圈又一個圈，將看見奇珍異獸一樣打量我。

「你識唔識咁樣識唔識咁樣識唔識……」他問了數十條問題，完全不停口。我一句便答完：「我唔識。」

「人咁廢嘅。」那個小男孩說。

「人類係咁，人同鬼係唔一樣。」那女生說。

「你哋都係鬼？」我知道這問題問得有點遲，但該確認的也應確認。

「喺城寨有邊個唔係鬼？？」她放下袋子說：「等聽日朝頭早瑤婆醒咗，我再帶你去搵佢。」

「鬼嘅世界都有休息？」

「鬼一樣會做嘢。」

「咁點解人哋要不斷重複死，你哋⋯⋯」

「因為我哋係城寨嘅工民。」

「工民？」

「工民係一樣好犀利嘅嘢嚟㗎，姐姐係工民嚟㗎！！」小男孩説。

「工民即係會幫城寨最高嘅委員長做嘢，而每年表現最好嘅鬼都可以得到半個元黿，夠十個元黿就可以投胎重生。」

「元黿？係咩嚟？」

「龜甲聖物。」

「今晚你都係瞓喺梳化啦，我哋屋企冇乜嘢地方可以瞓，你就屈就下。」

「多謝妳，我都未問妳叫咩名？」

「張村梅，佢叫小木。」張村梅指着弟弟説。

在這一百多尺的劏房裏居住了三個人，而這個城寨的環境活像以前八十年代的城寨，我好像穿越回到過去一樣，只不過這是一個鬼結界，保留最原始最不改變的古香港風味。

木板牀。

那小男孩上廁所，見我未睡，便擦擦眼睛問：「哥哥，你一個人嚟城寨世界做咩。」

「為咗救另一個世界。」

「點解要救？你依家都喺呢一個世界啦。」

「但係呢個世界唔屬於我。」

「哥哥你哋人類好奇怪，乜真係有一個世界係會屬於人類㗎咩？你哋最後都會離開，會死。你哋做客人咁緊張屋主嘅嘢，好神奇。」

他這一番話，讓我一夜難眠。

我在想香港，在想能不能找到陳道明，在想世界。

第二天吵醒我的，不是清澈悅耳的小鳥聲，而是源源不絕的呻吟聲。單憑聲音，已經可以知道對面激戰連場。

這顛覆了我的想像，原來鬼也可以做愛嗎？

「家姐，對面嗰啲人又好辛苦咁樣叫啦。」

「辛苦？」我禁不住笑了出聲，張村梅一眼瞪住我。

「係呀，佢哋成日都會好辛苦咁樣叫嚟叫去。」

「你細佬都幾天真可愛。」

「鬼都有七情六欲。可以做到你啲啲諗咁樣。」她似乎看穿我心中所想，解答了我的問題。

「想搵瑤婆就跟我哋嚟啦。」

九龍城寨的早上如同人間一樣，會有日出，只是這種日光不是從太陽而來，而是不知從哪裏而來，就像遠處有一盞亮燈投放在這個鬼域之內。因此這種光是從四面八方而來，卻又溫暖和煦。

我們走進橫街窄巷，仍是陰陰森森，滿頭都是高樓大廈、石屎森林，密密麻麻，目不暇給，整個城市都是侷促的喘不過氣來的感覺，同時無數老鼠、小強在四旁的水渠竄走，不時有水滴從高空而來。

「我哋而家去邊？」

「茶館，瑤婆每日都會去茶館。」

「茶館，好嘢！！」小木聽到，喜悅形於色得跳起來。

「我哋唔會食嘢㗎。」

「吓……」他頓時失望。

「茶館？」

　　橫街窄巷之中，全都是殘殘舊舊的小店，有士多店、雜貨店、牙醫、茶餐廳、燒臘店……只不過店主跟昨天看見理髮店的店主形象大驚不同，他們擁有跟人一樣的外貌，不但他們，連街道上遇到的人也是一樣，這點讓我非常不解。

　　「點解……？佢哋……」

　　「你嘅意思係點解佢哋會似人？」

　　「係啊。琴晚睇嘅時候，明明每一個人都好似怪獸。」

　　「城寨嘅朝頭早，每個人都可以扮返佢哋嘅形象，直到晚上先至會暴露佢哋真面目出嚟。」

　　「咁你哋嘅真臉目呢？」

　　「吓？」聽到這一句，她似乎很大反應。

　　「冷靜啲，我都只係問吓啫。」

　　「我哋唔係慘死嘅人所以冇……」

　　「咁你哋喺度幾耐？」

　　「喺呢度，唔會有時間嘅觀念，所以我都唔記得咗喺度幾耐啦。」

　　就在這時，我的身體不由自主地往後退，被一股無名的力扯走。

「喂……」

小木大叫：「嘩，哥哥飛起嚟呀。」他們二人目瞪口呆地望住我被活生生拉走。

「發生咩事……」我問，又回想：「頂，係替死鬼嗰個詛咒。」

我又被拉回那女鬼跳樓的位置，然後從高空飄起，作一個跳樓的姿態。

「仆街啦……仆街啦……仆街啦！！！！」我不斷呼喊，如過山車落山般準備直衝下山。

我緩緩升過，頭向地，身體失去重力地無法自控，然後向地一衝……

「呼。」

我狠狠地被摔在地上，頭破血流，全身的骨都像碎破。

眼前閃過一些畫面。

AV 仁……？

是 AV 仁，對，我認得腦海那個人叫 AV 仁，是我的朋友，但他……去了哪裏？

「你無事嘛？」

張村梅他們趕至，見我從高空墮下，有點好奇。

「無事。」

「點解你咁都唔死？」

「可能我唔係人。」

「你唔係人？係殭屍。」

「唔係，我係超人。」

幾分鐘後，我的傷已經痊癒，便着她繼續帶路。

她領我到城寨外圍一幢較為新式的唐樓，裝潢沒有之前住過的那麼殘舊，比較像西式一樣。

臨到門口之際，張村梅忽然轉身，懊惱地説：「嗯……不如唔好入去。」

「點解，都嚓到門口啦？」

「你真係要入？」

「嗯。」

她的樣子好像顯得可惜。

唐樓的二樓是一間茶樓，帶有港式傳統，就是酒樓的終端有一隻金色鳳凰雕像、紅噹噹的氣派佈置，難以想像有一間如此具規模的酒樓會坐落在城寨之內。

進入酒樓，回望四周都是高朋滿座，座無虛席，熱鬧哄哄。

「我搵瑤婆。」

「瑤婆？」四周的氣氛頓時變得凝重，趨歸平靜。

「瑤婆，村梅搵您。」

瑤婆坐在酒樓的金色鳳凰雕像上面的位置，猶如皇帝的派場。她是一個七十多歲的老人家，如同一個慈祥的長者。她一看見我，就擺出和諧的笑臉，問我：「點解你會喺度？人類唔屬於呢個地方。」

「我係專登嚟搵人。」

「搵人？」

「搵陳道明。」

她由原本「和藹可親」的眼神，變為銳利，似有所警誡。

「咩事搵佢？」

「佢係唯一可以救香港嘅人。」

「佢只係一個傳說，無人見過佢……不過咁，有個人係似佢……」

「唔該你呀，我真係需要見佢㗎！」

227

「嗯……」

「求吓你，我真係需要見佢㗎。」

「但我點解要幫你？」

「你可以唔當幫我，但當幫香港都可以，香港有事。」

「香港有事關我咩事？你都未答到我問題，我點解要幫你？」

「我可以燒啲金銀珠寶畀妳。」

她嗤之以鼻道：「呢度係鬼界，唔係陰間，金銀珠寶對我有咩用？」

「……」

我放棄了……

正當轉身想走之際，她忽然說道：「幫你……唔係唔得嘅。」

「嗯？」

「但呢樣要睇你有幾多誠意。」

枱面擺剛剛正起的點心，熱氣沸騰，點心籠裏面裝着的不是我們在酒樓普通會看見的蝦餃燒賣，而是一個人頭。燒賣裏裝着的是一隻隻人眼，蝦餃裏面裝着的是一整隻青蛙的舌頭，還有數之不的元寶蠟燭湯。

「你食咗呢啲食物，就係我哋嘅人，我就可以當係自己人咁幫你。」

「瑤婆！」張村梅替我説好話：「佢未必適應到。」

「婆婆，哥哥唔食我可唔可以食啊？」

「唔得！」

我內心掙扎不斷，天人交戰，一方面單用眼睛去看已經覺得嘔心，身體不停地抗拒，另一方面我正為七百萬人的幸福福祉而戰，過不得心裏的抗拒，一口氣閉上眼，將點心吞下肚。

這幾秒，猶如萬年。

幾秒之後，瑤婆拍掌大叫：「好，有膽色，我欣賞你。」

好不容易忍下嘔吐感，然後説：「即係你願意帶我去搵陳道明？」

「可以……由阿梅帶你去啦。」

「唔該晒你哋！唔該！」

步出酒樓，只感到全場的目光都聚集在我身上，態度……明顯不友善。

「陳道明喺邊？」

「佢喺……你跟我嚟就得。」

走沒半步，我忽然感到天旋地轉，全身乏力。

「哥哥，跌倒啊！」小木説。

「返嚟！」

然後，迷迷糊糊的暈倒，只感到我全身的手腳都被綁起來。

「咩事……點解鎖住我？」

「對唔住，瑤婆需要你。」

「妳一直都係為咗出賣我先幫我？」

「對唔住……如果獨得元電，我同細佬就可以投胎離開。瑤婆嘅説話，無人敢唔聽，我無可能反抗……對唔住。」

一刀刺進我的肚裏，原來被刀割的感覺是非常痕癢。

眼前不是黑色，而是回憶。

我大概知道我被人綁起，刺了一刀，快要死亡。

臨死一刻。

一切……一切都記得了。

第九街 苦戰

「踏。」

南門蔚跳過最後一幢大廈的天台，這裏已經能遠眺九龍公園，這裏算是越過地面那群恐怖的孕婦，減少許多不必要的鬥爭。

如果他們要硬闖那裏，不是不行，只是體力會支持不住。

「好身手。」伽樓一説道：「我見到一樣嘢。」

「咩嘢？」

「妳永遠都係佢喺度先會着短裙。」

「關你咩事，點解你喺呢啲時候都咁多廢話。」

「講下嘢，欣賞靚女係我本能。」

風勢之大，吹得他們呼吸也感困難，越是接近九龍公園，就有一份窒息的感覺，難以舒順地呼吸。

「好重屍氣。」

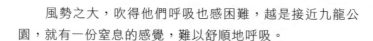

「喺前面！」

伽樓一這樣一說，二人馬上行動迅速，從高空踏着樓宇五光十色的招牌而下，如同拍電影一樣，只是沒有吊威也，行動流暢，不消幾秒已到達地面。

他們越過大馬路，奔到尖沙咀九龍公園近游泳池的入口。

「喺入面。」伽樓一不假思索地說。

南門蔚沒有半點懷疑，因她也聞到游泳池有濃烈的屍氣，當中還混合着血味和屍臭味，強烈得令人作嘔，不過仍是掩蓋不到武士殭屍的屍臭味。

「等埋先入？」伽樓一問。

「無時間。」她說。

他們奪閘而入，沿樓梯而下，手持武器，小心翼翼地一步一步進入游泳池，一路上，地上都是血液，來到更衣室，終於發現躺在地上的一具具屍體，不是缺了頭，少了眼，就是身體斷開兩截，大腸也外露在地。這樣的屍體，少說也有數十具，泳池成了恐怖的屠房。

「嘩。好噁心。佢究竟喺度幾耐？」

「不如問，佢已經食咗幾多人。」

「以呢度嘅數量，我諗佢就快⋯⋯」伽樓一都不想說下來，說出一些絕望的事，有什麼用處。

逝者已矣，何況時間不多，他們燒了道符，唸了輓詞便繼續前進，入到泳池的內部，室內的大池，池水都變成深紅色，混濁而不見其中。

「好臭……」

「係人血。」

「小心池邊有嘢。」

他們一步一步內進，已經做好萬二分準備有任何突發的事，例如殭屍的突襲，但沿內池繞了一圈，卻什麼都沒有。

四周只有血液，沒有什麼動靜。

「有咩發現？」

「無。冷氣好凍。」

她瞪了他一眼，就在二人都稍為放鬆的一刻，「噗！」水面突然伸出一隻慘白的手，一下就將伽樓一扯進水底。

南門蔚反應倒是迅速，馬上跳進紅色池水內，才發現本應只是三米深的泳池，變成深不見底的空間，水裏有無數屍體，全都浸得發爛，都是被殭屍所食，數量多得不可勝數，滿佈整個泳池，都在同一時間張開眼瞪住她，然後伸出數千隻手抓住他們兩個！

　　伽樓一被數十隻屍體直拉到水底，速度快得驚人，潛至深淵，他想掙扎但抓着的屍體力氣甚大，完全無法脫身，動彈不能。

　　越拉越下，深不見底的泳池讓人心寒，如果再不脫身，他心想必定會死無全屍。

　　沒有希望了嗎？

　　他口中吐出數枚銅錢，是救命之用，銅錢上刻有金剛經文，它發出一陣微弱的黃光，雖是微弱，但所照之處，四身的屍體頓時散開，不敢再近。

　　他趁機上游，卻又被一些不要命的屍體扯住雙腿，他亂踹亂踢，擊走好幾隻殭屍，但馬上又有補位，而且有不少已經圍住水面上游，讓他無處可逃。

　　最要命是，他是忽然被人扯進水裏，事先沒有深呼吸過，氧氣快要用盡，就算不被咬死，也會遇溺而死。

　　他將銅錢揮向底下的屍體，趕走一班，又來另一班，扯着不讓他走。

　　就在絕望之際，好些圍住他的屍體化成肉團，一一成醬，仔細一看，是南門蔚在遠方的池邊貼着一張風符，符力生效，圈成一陣烈風將屍體掃蕩。

　　雖是這樣，其他的屍見狀，一一都風聞趕至，一時間數千大軍全擁去南門蔚的位置，帶頭的都被烈風撕成肉團。

一隻、兩隻、十隻、百隻，但牠們仍然毫不懼怕，後面的一一擁去死，符咒的力量快用盡，烈風的力量也顯然減低，漸漸緩慢起來。

破。

風符也失效，大軍突陣而入，她揮劍而斬，幾劍就殺了數十隻，但水底實在不利活動，運動力大減八成，她被一隻怪物捉了手，其餘的一一圍上，將她扯進水底。

另一邊廂，伽樓一亦快要缺氧。

就在意識快要失去，他們感到身體正漸漸上升，不，是那些池水也一同上升，不消幾秒，他們就感到下墮的重力，狠狠落在地上。

「咳。」伽樓一第一時間嘔出一口池水，呼吸才通暢起來，急急喘氣，從鬼門關回來的感覺非常難受。

南門蔚也吐出池水，推開纏在她身上的數十隻屍體。那些慘白的屍一落在地上，馬上痛苦的掙脫，如同脫水的魚一樣，顫抖地死去。

「你哋咁狼狽嘅。」

定睛一看，是三個人。正是工會的幫手。分別是南區工會，穿背心牛仔褲的少女，瀅玉；東區工會西裝男，林爾邱，還有屯門區 MK 打扮，也是善於用水的源初北，剛才正是他救了二人。

「你哋兩個唔等工會指示，唔跟程序就直接入咗嚟，死咗都唔知咩事。」源初北不屑地説。

「工會有咩指示，五個人救世界？」南門蔚道：「如果佢哋係明咩事，就唔會只係派三個人嚟。」

「你真係斗膽。」林爾邱説：「如果唔係工會講，我都唔會嚟。」

「你哋究竟明唔明白幾大件事，我驚你哋嚟送死。」伽樓一説。

「送死方面，頭先見識過啦，唔使再講。」源初北：「區區水屍都搞唔掂。實力可想而知。」

「你哋唔好嘈啦。」瀅玉勸道。

此時，遠方一聲巨吼，將他們的注意引開。

第十街 真相

當記起忘掉的記憶，你就明白，原來忘掉是有原因，當重新記起，總是令人痛苦。

大概是入侵廟街事件後的一個星期，我跟南門蔚坐着電車，買了呂嬸交代我們要買的飯菜。

落日黃昏火燒雲，寂寥無人，電車只有我們。

我喜歡我們兩個人獨處的時間，這一刻開始，時間會流逝得飛快。

電車轉進上環海味街，南門蔚一直支支吾吾，不知想說什麼，不時望住我，欲言又止。

「妳係咪有咩要同我講啊？」

「無啊。」

「講啦。」

「無嘢，無人想同你講嘢。」

「明明就有。」

「你聽日有咩嘢做？」

「做咩啫？」

「如果你肚餓……聽日去食炸雞囉？」她似乎花了很大的力氣，才把這句吐出。

「呃……唔得喎。」

「點解？」

「聽日被呂子旋拉咗我去佢個讀書會。」

「喔？又會叫你去？」

「唉，上次走咗佢一次數，畀佢捉住嘛。」

「幾好。」

「做咩，你呷醋？」

「無。」

「喔！你呷醋。」

「走開！」

我跟南門蔚的關係，就像戀人開始前的甜蜜。

買餸回到廟街的小窩居，一個數百呎的單位，住了幾夥人，卻是無比的親近。

這是我的家人，沒有血緣關係，卻比我本來的家人還要親密。

AV 仁正在自己的房裏預備公務員考試，聽說他只想要一份穩定的工作，生活逼人，也沒有法子。

現時大家都知道他的性取向，他也不用在家中假裝什麼，少了些看 A 片的聲音。不過我竟然有點懷念他在亂播 AV 的日子。

「溫緊書？」我問。

「係啊。」AV 仁轉身，放下雞精書，奸笑道：「你哋拍完拖啦？」

「我哋無拍拖。」南門蔚解釋道。

「係嘅，未拍。」

「溫你嘅書啦。」我說。

「我考到請你哋食餐好嘅。」

呂嬸在廚房煲湯和煮飯，回頭瞥見我們帶回新鮮龍蝦，便道：「咁快返咗嚟啦，唔拍多陣拖先？」

「媽，佢哋都唔係拍拖，我先係！」竄到廚房偷飲湯的呂子璇聽到這句，第一時間反駁。

我已經沒有太多氣力回應她，瞄了南門蔚一眼，她沒有什麼反應。

「呂嬸，啲餸放喺邊啊？」我問，袋中的龍蝦活潑跳動，十分新鮮生猛。

「洗水盆嗰邊就得，可唔可以幫我開埋啲龍蝦佢？」呂嬸說。

「當然無問題。」

「媽，我都可以幫手！」呂子璇應道。

「你幫手出去開枱就得啦，咁多人幫手開做咩，個洗手盆邊有咁大。」

「但係……」

「出去啦。」

呂嬸轉過頭，給我一個單眼。

我當然明白呂嬸的用意。

南門蔚正要離開，打算回房休息，我便攔住她問：「一齊開？」

「點解？」她冷冰冰地問。

有時，我也會希望她多點情感流露。不是對他人，而是對我。

她見我沒有反應，便再問：「你一個都開到。」

243

「係嘅。」

「咁點解？」

「兩個人開會快啲？」

我有預期過她會答不好。

「好。」她爽快地答應。

我和南門一起開龍蝦的時間不長，但我享受跟她一起做同一件事的時光。

就在荒謬的時光中，為存在添上意義。

「多謝你哋。」她合十雙手，對龍蝦說完，就一刀斬向牠們的頭，清脆利落。

「奇怪，妳都唔食肉，點解仲要多謝佢哋。」

「但係我殺死佢哋畀你哋食，都係一樣，食同唔食已經無差別。」

「咁點解妳要唔食肉？」

「已經習慣咗。」

我倒不覺得這是答案。

話口未完，她已經又處理好一隻，我遙遙落後，只好加緊速度。

　　一刀斬去，卡在中間！刀不能進或出，進退兩難，不知如何是好，明明看南門蔚處理是易如反掌。

　　我以為斬屍她厲害，誰知斬龍蝦她也比我好。

　　「點解過咗咁耐，我斬嘅仲係無妳咁勁。」

　　「你唔識得用墨氣，或者應該咁講，你未完全發揮到。」

　　「完全發揮？」

　　「刀人合一，真正勁嘅墨氣大師可以將墨氣外現。」

　　「真係會有呢啲人咩。」

　　「比你想像中多，不過都唔夠正宗。」

　　「咁點先好似你咁？」

　　「只要多啲練就得，但你話盡用墨氣方面，以前有一個最出名，叫陳道明。不過佢都失蹤一段時間。如果有佢教，應該會清楚好多。」

　　「但都唔知佢喺邊。」

　　南門蔚忽然停手，我好奇地問：「做咩？做完啦咩？」

　　還有數隻龍蝦啊。

　　她帶點愁悶地說：「遲啲我出一轉遠門，你要小心。」

245

「遠門？妳要去邊？」

「泰國。」

「泰國？去旅行啊？無聽過妳講過嘅？」我玩開笑地
說：「會唔會帶埋我去？我想食地道冬蔭公好耐。」

「今次唔係玩，係有關工會嘅事……我都係受差派。」

「喔，工會嘅事即係咩事？」

「暫時講唔到畀你聽，不過你預我一段時間都唔會喺
度，所以……你要小心。」

「又會咁奇怪，工會派妳出公幹？」

「……係囉。」

「OK啦，我係殛，邊有殭屍夠我打。」

她白了我一眼，態度轉趨認真：「唔係講笑，你一定
要小心，唔單止係你，仲有你身邊嘅人。」

「我身邊嘅人都好普通。」

「正因為你唔係普通人，所以你要做嘅嘢先更多。」

「我明啊。」我一邊斬龍蝦邊說。

「同埋無人講過，淨係殭屍先會嚟搵你。」她說。

「係係係。」

她態度強硬，似乎真的緊張這次遠行，但我覺得沒有什麼，當時只草草敷衍她，沒有在意太多。

「記住啊，要小心。」

「妳咁擔心，點解唔留低啫。」

「如果可以，我都想。」

在她離開後的頭幾天，我確實有提高警惕，畢竟她說得如此緊張，我實在不能重視，開始提高防範，近乎全天候沒有外出，甚至做了好幾晚廳長，就是深怕有人無緣無故闖入。

只不過幾天過來，水靜鵝飛，莫說是大事，連新聞也沒有什麼好寫，頭條是李太被劏豬檔聲嚇倒而報警。說起來，有一晚確實有所動靜，不過是老鼠竄入我們廚房。

「喂，你返房瞓啦。」AV仁在某晚看見我如此辛苦，便着我休息。

「唔使啦，廳咪一樣。」

「牀同梳化邊同。」

「如果因為我瞓咗，搞到邊個出事就唔好。」

「咁唔通你唔瞓咩？我哋未有事都你有事先啦。」他泡了一杯熱朱古力給我，着我喝了就去睡覺。

247

AV 仁算是我第一個真正朋友，雖然不太可靠，但感覺到他的真誠。

「有啲嘢慢慢嚟啦，愛情又好，其他事都好，無嘢急得嚟。人哋可能有佢顧累呢。」

如果失去他這個朋友，我都不知如何是好。

喝了朱古力後，我就聽他所説回房睡覺。之後雖然沒有全天候在家，但我還是有照南門蔚吩咐，盡量跟他們一起。

就在那天，我們一行人外出打邊爐慶祝呂嬸的生日，那是我們第一次在外吃飯。

因平常有呂嬸在，基本上沒有菜式是她煮不到，只是平常她比較忙碌，難得生日又放假一天，呂子璇便提議到火鍋店用餐。

那頓飯吃得呂嬸哈哈大笑，説來也是，跟自己的女兒和好，修補關係，是一件難得的事。

「今晚咁齊人，但可惜阿蔚唔喺度。」呂嬸嘆嘆氣説。

「佢好快返啦。」AV 仁應道。

「佢返嚟我哋再去食多次」

AV 仁飲大兩杯，建議我們下次不如一起去旅行。

「全家人好喎。」

除了溫馨,我沒有什麼形容詞。

幾杯下酒腸,已經是凌晨一時多,正想回家,在路口遇上多年不見的小學同學,一時相聚甚歡,談得不可交加。

「好耐無見,不如出嚟飲返杯嘢?」

「但……」

「唔緊要啊,我哋返去先啦。」AV 仁說。

「唔啦。」

「去啦。難得一見。」

「不過……」我說:「一齊返好啲。」

「唔緊要囉,你去啦。」

跟那個小學同學去到蘭桂芳一間酒吧,相談甚歡,走時已經凌晨一時多,街上空無一人。

站在門口良久,才發現我沒有帶門匙。

為免把所有人吵醒,我打了一通電話給 AV 仁。

沒有人聽。

打了好幾次,我終於放棄,轉為撥打給呂子旋。

還是沒有人聽。

好幾次也沒有聽。

想來也是，現在幾多點了，大家都在熟睡的階段。

我只好不得已，按下門鎖。

「叮噹。」

過了好一會，還是沒有人。

奇怪？

我再按一下。

「叮噹。」

除了死寂，什麼都沒有。

我們家的門鐘出名夠響，應該不可能會聽不到。

我嘗試拍門，誰知一拍，門就自動打開。

沒有鎖門？

打開門進去，隨即傳來一股刺鼻的氣味。

空氣之中，彌漫着惡臭的鐵鏽味。

普通人會認為是鐵鏽味，但憑我多年經驗知道，這不是鐵鏽味，而是血腥味。

血。

血。

此時的我，腦海早彈出無數個想法，但我想全部忽然它們，因為沒有一個是好的。

踱步而進，鞋底踩着什麼黏黏的東西，是凝固的積水……

是血……

屍體。

我望着地下睡着 AV 仁，他大字型睡在地上，早已失去氣息，甚至浮現屍斑，還有呂嬸、呂子旋背部朝天的躺在地上，背上有明顯的致命傷口。

全部都已死了，是切切實實的死去。

我的腦海頓成一片空白，空氣冷得過分，我感到肺部所有的東西都掏空出來一般。

不會的……不會的……

是發夢嗎？

我轉對鏡子，對住雙眼通紅的自己狠摑一巴，大力得眼淚都流出。左臉逐漸傳來絲絲熾熱感，這……不是夢……

如果這不是夢⋯⋯

「嘔⋯⋯」我忍不住吐了出來，良久之後，我終於意識到⋯⋯他們全部都被人殺了！

是死了，死了。

「沒可能⋯⋯沒可能⋯⋯」

我跪在地上，腦海空白一片，痛哭一段長時間，肺部似要撕裂的痛，空氣一直被抽出，我呼天搶地，心中的痛無法釋放。

為什麼！？

為什麼？

我哭了不知多久，意識空白又恢復，好不容易才稍稍回復一點理智。

到底是誰？是什麼人那麼大仇口，要將呂嬸一家全殺掉？

應該不是尋仇，平常他們幾人和藹可親，不會得罪人。

因為錢所以索命？不，也不會是錢債，他們雖不算有錢人家，但依我了解他們未曾借過任何債務。

感情糾紛，這更加不可能。

那到底是誰？誰？誰要下此毒手？

「佢唔會喺度啦。」

「你點知？可能佢返咗嚟呢。」

「如果係，就唔會殺晒全屋都見唔到佢啦。」

「你哋而家返咗嚟咁講啫，殺個女仔嘅時候幾難落手，細路女嚟咋，喊晒咁樣，如果唔係因為要殺殛，使要咁做？」

「咁再講，你殺佢嘅時候嗰啲血濺到落我度，我條裙唔使要。」

「對唔住囉，我下次補返畀妳啦～妳咁靚女，條裙就算點都無人理啦。」

聽到這裏，我已經胸口宛如火燒，按不住怒氣，直奔出去。

但見門口站在三個人，一個是西裝男、一個是白T牛仔褲，一個是短裙艷妝女生，他們手上都不約而同有驅魔工會的標誌。

他們三個一見我，便驚訝大叫。我迅步到他們面前，在他們三個拿出武器之前，率先擊中各人的胃、頭、肚，讓他們無法動手。

我捏住女生的頸，她驚惶地吶喊：「唔好殺我啊！」

「佢哋……係咪你哋殺？」我的聲音有點沙啞，不過還是清楚傳達給他們。

兩個男生仍跪在地上，久久未能回復，雖聽到那個女生的求救聲，卻無能為力。

「唔好殺我……唔好殺我……」那個女生只一味哭泣，沒有回應我的問題。

「我問最後一次。佢哋，係咪你哋所殺。」我不感到力有多大，甚至拳頭早已沒有感覺，只見到那個女生的面漸漸由白變為紅紫，血管全暴現，喘不過氣，只能嗚嗚而叫。

「3……2……」我開始倒數，只感到全身血液滾翻。

「我哋都只係奉命行事咋。」後方的一個白T男生好不容易站起身，手持一把桃木劍，眼神似是盤算該對我如何下手。

「行事？行咩事要殺無辜嘅人？工會唔係保護眾生㗎咩？」我怒道：「呢啲係殭屍咩？係鬼咩？」

「我哋唔係想殺佢哋，而係你啊！但為咗大義，佢哋知情咗就要死。」西裝男也站起身緊張說，左移一點，他看來最在意那個女生。

「我？」我不解地問。

「你係殛。」

「跟住？」

「殛，代表有殭屍嘅能力。但你又唔係工會嘅人，同時擁有咁大力量，工會……」

「講埋落去。」

「工會怕你力量過大，無法控制，對香港係一個威脅，所以盡早消滅，免除後患。」

「你哋班尸位素餐嘅仆街驅魔人！當日香港被一大班殭屍入侵時係我救，你哋做咗啲乜嘢？！！！今日咁對我嘅朋友？！」我失去理智地吼叫。

忽然，背後感到一下刺痛，我不經意放手，接着是頭部重擊，原來是有牛仔男生重擊我的手臂，他搶過那女生，抱着她衝了下樓，西裝友緊緊隨之。

我頭暈不到幾秒，回復過來，打了自己一巴，趕緊追上他們。

「韓壬辰，你一定要殺咗佢哋報仇！」

我當時心裏這樣想。

飛奔下樓，目睹他們往無人的馬路循走，我緊追其後，只見西裝男口中唸唸有詞，路邊的化寶爐有一陣火爆出，那些化寶的灰爐變成一隻如人形的怪物，一手捉住我的腳。

　　腳部傳來一陣灼熱感，我一下踢向它的心口，只感到踢中空氣，蓄力再踢，仍是如此。只因它是灰燼，輕易化解物理攻擊。

　　望着他們越來越遠，快要離開我的視線之際，我掏出一道符，記得南門蔚教過我符咒用法，運出墨氣，默唸坎、坤二卦，上坎下坤成比，符頓成藍色。

　　「上坎下坤。水地比！」

　　咒符爆出一陣泉水，水如瀑布，一發不可收拾，以萬馬奔騰之勢將灰燼怪物沖走，溶在水中。

　　我欻然衝刺，頃時趕在他們身後，他們全都大吃一驚，沒有預想我會如此的快。

　　我跳起奮力揮拳，一下打中西裝男，他應聲倒地，翻滾幾圈。

　　「一命還一命！你哋要一命還一命！」

　　「你都黐線，我哋係正義，係為港除害！佢哋同你同邪為奸都係抵死，憑咩要我哋還命？」那女生以高音反駁，極其刺耳。

　　「佈陣。」

　　他們三個以前後站立，不斷換位，地上畫出陣法。

「天地三才陣！」

地上現出一個大圓形，圓形的中間又有一個小圓，畫有五個五角星形在上中下左右各方，閃耀炫目如天星。

他們合十雙手，默念咒語，猶如默經一樣。

忽然間，他們的頭上變出一個虛藍色的劍陣，有六把巨大劍氣在不斷轉換，如同風扇般捲動不已，發出轟轟烈聲。

「怪物，去死啦！」那個西裝友大呼。

我不知這是什麼招式，在南門蔚身上也未曾見過，只感到四周的空氣都吸進劍氣之中，能量之浩大如同一個超小型的太陽，站在遠處也能感受到熱量。

「你哋因為我而殺人？」

「話咗，任何人知道殭呢件事，或者接觸過都必須死。」

「佢哋無罪！」

「罪定唔罪，唔係由你同我定，係由工會領導人而定！」

「你班人渣，究竟同殭屍有咩分別？？」

「有，你哋係怪物。當日保護香港，我哋都有份，只不過畀你早一步解除危機，但等到我哋嚟都一定可以阻止，所以唔算乜大功。更何況今日你可以幫我哋，難保他日你反面，工會收拾唔到你咁點？為免你坐大，一定要今日收咗你。」

「就憑你哋？」

他們合十的雙手一晃，劍氣歘然向我方衝去，其疾似箭，我只感覺到手腳受一股力量綁着，空氣快要抽乾……

「無人可以突破我哋嘅陣法㗎。」

「今日有功啦，應該可以升多一級。」

腦海閃過無數的片段……

包括……

一起去海洋公園……

一起去高街……

一起吃火鍋慶生……

一起對抗殭屍……

一起喜與悲……

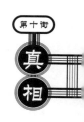

AV 仁……他是我的好朋友……

呂子璇……雖然我不喜歡她，但她是一個好女生……

呂嬸……她只是一個慈愛的母親……

為什麼無辜的人會遭殺害如此荒謬……？

為什麼世界如此荒謬……

我感到肚裏有一股力氣從下而上，眼前所有事物漸漸變成紅色。

「還返屋企人畀我啊！！！！！！！」我青筋暴現，無以名狀的力量湧現，衝破那種泰山壓頂的鎮壓之力，我覺得全身充滿能量，皮膚痕癢，牙齒……變尖了……？

血。

我很想要血。

我雙腳一蹬，瞬身出現他們面前，只覺得他們的骨頭脆弱得很、皮膚如凝脂，吹彈可破。

脆弱的生物。

當回過頭來，他們已經全部倒在地上，血流不止，奄奄一息。

我，不自覺地在笑。

「我只係想知，南門蔚知唔知呢件事？」

「佢係工會嘅人……」那個白T男用沙啞的聲音說。

她是工會的人。

意思就是，她早已知道此事？

我的殺欲越來越重，此時，遠方有一個男人，戴着一頂箬笠，面上有黑色面紗，身穿古代的俠客服。

「師兄……救我哋……」西裝男發出最後的呼喊。

「怪物，話咗一定要收。」那個神秘的男子說。

「你邊位？」我問。

他沒有回應，不斷默念：

「一者、五識身相應地，二者、意地，三者、有尋有伺地，四者、無尋唯伺地，五者、無尋無伺地，六者、三摩呬多地，七者、非三摩呬多地，八者、有心地，九者、無心地，十者、聞所成地！」

他衝前來，踏出的每一步都是火花，如數百噸炸藥引爆，何其誇張。

然後眼前一黑。

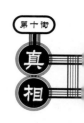
重新張開眼，眼前是九龍城寨。

「我記返起啦……我全部都記返起啦……」我流着淚，眼水和鼻涕混成一團地説：「我記起一切……我記起……佢哋……佢哋全部都死晒……啊！！！！！」

呼天叫地的哭多久，我已經忘了，只是記得，當我無力得再呼叫，眼前出現的是她。

張村梅，她紅着眼睛，似乎看見我再有呼吸後，她嚇得緩緩退後。

我被鎖着手腳，綁在一個十字架，四周看來是一間密室。

「你點解……會……」

「我唔係人。」

「咁你係鬼？」

「都唔係。」

「你又唔係人，又唔係鬼，又唔係殭屍，咁你係咩？」

「我係……你當我唔完全係人，又唔完全係殭屍。」

「你頭先係為咗咩喊？」

我沒有興趣回答她，反問：「你捉我、幫我，所有嘢都係為咗瑤婆？」

「係。」

「咁點解嗰日當時你要同我講，警告我唔好入去。」

「我無。」

「你分明就有。」

「你內心一直都仲有一絲良善……你點解釋頭先嘅眼淚？」

「瑤婆待我不薄，我……一定要幫佢，為咗我細佬同我……」

我終於知道她心中最在意的是什麼了，每一個人都有價值最珍視的東西，為了這個代價，她也許能夠做所有事，付上一切代價。

即使以下這一句，她或許會接受不了，但我還是需要讓她知道真相。

「呢度嘅鬼，無可能輪迴。」我説：「你哋係點都無可能投胎。」

第十一街 滅世

南門蔚跟他們一起沿聲而去，步出泳池。近九龍公園中間位置，感到源源不絕的屍氣從九龍公園的山上傳來。他們便邁步沿斜坡直上，狂風暴雨下，視線甚微，但仍見到山坡上有一身影，定睛一看，正是殭屍武士，楠木正成。

山野遍滿屍體，數之不盡，大概有數百具，都是被吸盡人血，成了乾屍，棄於公園，如同一垃圾。

他們持好武器，小心翼翼地一步一步前進，只見楠木正成呆佇不動，身旁卻有紫氣圍繞。

「好重屍氣……」源初北説。

「慘。佢應該已經恢復返晒所有力量。」伽樓一説。

「我哋五個人喺度，你到底驚乜？」林爾邱不屑地問。

「工會究竟有無同你哋講係咩任務？」南門蔚説。

「咪又係殭屍。身為驅魔人，竟然怕殭屍，不如妳都係辭職，反正妳喺工會都係反對派，帶頭違抗命令。」瀅玉嘲弄説。

「我無。」南門蔚反駁道。

「全工會都知，妳唔使扮。收埋隻殭，不知所謂。」瀅玉皺眉，露出極度厭惡的表情。

第十一街
滅世

「你哋知道啲乜，咪又係聽工會講。」南門蔚素來不與人爭辯，這次算是開口最多的一次。

「唔信工會，唔通信妳？」

「如果你哋驚，可以留低，我哋三個人搞掂就可以。」源初北伸手擋住他們。

「好，咁功勞全部都係我哋。」林爾邱贊同，道：「睇嚟升職啦。」

南門蔚想阻止的時候，伽樓一卻搖頭揮手。

「唔好理佢哋。」伽樓一說。

「點解？而家唔係意氣之爭嘅時間，係關乎全港嘅存亡。」

他們正在爭論之間，那班人已經上山遠去。

「我明，但有啲人要死你點都阻止唔到佢哋。」伽樓一說。

「……」

「更何況咁樣點可能合作到？佢哋咁憎妳。」

南門蔚執意想救，但伽樓一說：「而家佢恢復力量，我都仲可能有方法。要設一個局，都要啲時間，妳嚟幫我啦。」

他們三人慢慢步上楠木正成身在之處，只感到風勢猛烈，吹得人快要傾倒，好不容易來到山上，楠木正閉目養神。

「佢無乜防備咁。」

「咁就啱晒，殺咗佢一了百了。」

「好，殺完就返去。」

「等我一個都搞掂。」

林爾邱説，正走前一步，忽然呆愣不動，像時間停止一樣。

「喂，林爾邱？做咩呀，淆底？」瀅玉説。

「頭先又咁大聲，而家又唔郁。驚咪等我嚟。」源初北説。

林爾邱仍然沒有反應，當他們二人感到什麼不對勁，拍拍他的肩膀，發現他的頸項有一條小線，由左耳直到鎖骨。

這條小線倏地撕出血漿來，湧出源源不絕的血，露出頸骨，此時林爾邱的身體分成兩半，如同一塊破碎的拼圖，掉在地上，染紅綠油油的草地。

「啊！！！！！！」瀅玉驚惶地尖叫。

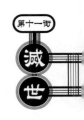

接着，源初北也緊張地召出天水，往四周噴灑，卻沒有目的地攻擊，這時他已經失了心瘋。不多時，他便痛苦地尖叫，頭活生生地被人扯出，連帶整條脊髓一併抽出。

「廢物，就應該死。」

瀅玉回望原本楠木正成所在的位置，空無一人，四處張望，忽然發現它正在眼前，瞪着自己。

紫色的眼睛。

白、黑、紅、黃、藍、綠、紫⋯⋯

最高級的殭屍。

伴在它身邊，還有數之不盡的鬼魂。

尖叫的一聲慘絕人寰，響徹整遍土地。

「唔好聽，專心做嘢啦。」伽樓一説。

不多時，南門蔚和伽樓一已經佈好局，現在只差一個藥引。

帶殭屍來的藥引。

沿路上，一直掛滿數千道咒符，佈置在路旁和草叢中，全都注好墨氣，只要一碰到屍氣，就會爆炸。

「等我引佢嚟。」伽樓一説。

「唔得，個陣式係得你先識用。」南門蔚反對。

此時，他們站在的地面早已畫上一個卦陣，看上去是易經的卦，卻又有一點不同。卦理應分為上下，有三線，按線式不同由此生出不同卦義。例如三線全滿為 ☰ 天卦，上線斷開為 ☱ 澤，中間斷開為 ☲ 火，上中斷開為 ☳ 雷，下線斷開為 ☴ 風，上及下斷開為 ☵ 水，中及下斷線為 ☶ 山，全斷為 ☷ 地。

卦式由此生生不息，組合成不同卦象，例如上卦及下卦皆為天卦，則是 ䷀ 乾坤，上卦及下卦全斷開則為坤卦。所謂乾為天，天地否，天澤履……

平時他們的符咒注入的卦文正是如此，但伽樓一的卦陣中間有太極兩儀，稍為不同，應該是伽氏獨門的驅魔法門。

「等我去引佢。」南門蔚説。

「小心。」伽樓一認真地説，他的行為已沒有任何輕挑，轉為認真狀態，可以看得出這次的挑戰有多大。

「好。」

南門蔚疾走至公園的中庭，還想上山時，卻忽然感到全身動彈不能。

一股恐懼感油然而生，是死亡的氣息，之前從未遇到過，這並不是屍氣，而是壓迫感。她人類最原始的戰鬥本能直覺，告訴她身旁有極度危險之物。

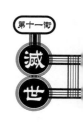

她從來未怕過什麼，這是她第一次如此感受死亡。

「快啲郁。」她喚醒自己的身體。

「呼！」

她急忙轉身，只見到瀅玉扁陷的人頭迎面撲來，她一個彎身避開，人頭應聲落地，她沒有轉頭再望，因她知道這是轉移之用，稍不留神便會中招而死，果不其然，一抓從黑暗之中揮來，她借勢左手按地，一個後筋斗再避開攻擊。

紫色的眼睛。

最恐怖的殭屍。

她站穩後就拔腿而跑，沒有半刻的遲疑，因一秒的考慮也會令她人頭落地。

只感到後方的殭屍壓逼身後，聽到風裂開的聲音，她背部中了一爪，痛楚如同被數千隻毒蛇一咬，這時，呼一聲。原先埋下的符咒開始起效。

「呼呼呼！」

數百道符爆了起來，整土地陷入火海。

張村梅的耳朵稍為震動，似乎未明白這句的意思。

「我問你一樣嘢，就可以印證我嘅諗法，當我見到個個都怕瑤婆時，已經想問，瑤婆嘅真名係咪叫嬌我妖？」

269

張村梅一聽到這個名字，就大驚地說：「你唔可以講！咁係不敬……」

「哈，果然。」

「果然咩？」

「九龍城寨嘅鬼係永遠無可能輪迴，即使拎到十個乜鬼……元乜？總之拎廿個、一百個都好，你哋都無可能輪迴。」

她冷冷笑道：「係元黿，同埋你講大話。」

「我講真。」

「你只係想借啲意，呃我解開你身上嘅鎖。」

「我想妳解鎖係一件事，而事實係咁係另一件事，事實就係呢度嘅鬼係不在輪迴六道之間，鬼結界無時間、無意義，所以你哋根本無可能輪迴到。」

「唔會……」她輕笑道：「你一定係呃我，係呃我。」

「我喺入嚟之前，已經去過唔同結界，都係一樣，鬼結界係阻隔你哋嘅時間流逝，不如咁諗，如果鬼結界係有時間，點解瑤婆可以喺度咁耐？呢度只係佢嘅王國，點解要元黿先走到？妳喺度咁耐，無諗過呢個問題？」

她瞳孔放大且震動，相信內心已經有所動搖。

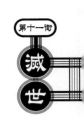
「我敢打賭一樣嘢。」

「咩？」

「就係妳未見過任何一個鬼離開呢個地方投胎。」

「當然有，好多出色嘅鬼可以投胎。」

「佢哋只係出咗去，成為怨鬼上人身，幫嬌我妖做嘢，唔係投胎。」

包括順利邨和荔景邨鬼上身的人，包括陳 Sir，他們都是受嬌我妖迷惑的人。

她開始轉為抗拒。

「呢個都係你一面之詞啫，無任何證據，佢點解要咁做？」

「其實我啱啱講嗰啲都係證據，不過如果妳要好實質嘅，我都可以畀一個例子妳。」

「咩？」

「去搵返我哋第一日見到嗰個女人。」

「我點解要咁做？」

「因為妳最緊張妳嘅細佬，如果投唔到胎，我相信妳一定好後悔信錯咗人。妳會想知道，究竟令你哋投唔到胎嘅係邊個。」我說。

她思索一會，便道：「好，但如果係假，我就會殺咗你。」

「我已經死咗一次，唔係咩？」我説。

她仍有戒心，不肯為我解鎖，只願拖着我來到先前的位置。

打開牢門，終於呼吸到新鮮的空氣，外面正是一殘舊的唐樓單位的天台，從集亂的天線中，可以望見一個龐大且奇異的月亮，遠眺細看，外面是停留在八、九十年代的香港。

但我知道，這是假象。

「嬌我妖係點同你哋講？」

她打了一個冷震，對這個名字仍未能接受，反問：「咩？」

我走在她的前面，她在後面警覺地監視着我。

「佢係話點解你哋要做嘢先可以投胎？」

「人死咗要等到時限先可以投胎……時限即係我先前講嘅陽壽，一個人陽壽未盡就死咗，只能夠留喺人間成野鬼，但瑤婆好好，佢有能力幫到鬼搵返『阿賴耶識』，脱出十八界塵世。」

「哼。」

「你做咩？」她不滿地問。

「無，好快妳就明。」

我們回到當初的幼稚園，果然一成不變，重遇那個母親，正是當日跳樓女鬼，她正抱着自己的孩子。

「你好。」

「恩人？」她眉頭上勾，卻看見我手上的枷鎖，轉頭望向張村梅，有所防範。

「喔，無啊，佢鍾意玩 SM，我配合下佢啫。」

張村梅拍打我的背，她雖不盡相信，但也放下一點戒心。

「我今次嚟係有啲嘢問妳。」我説。

「咩事？」

「我哋想問，妳喺度幾耐？」

「應該都有六十年……六十年嚟，一直都無人幫我，你係第一個。」她望着懷中的孩子，滿有慈愛的目光，忽然稍有落寞，吞吞吐吐説：「可惜連累咗你。」

「我想問多樣嘢，你個樣應該都有五十歲？」

「嗯。」

「五十歲，六十年都有一百一十歲，理應陽壽已盡，但點解你唔去投胎？」

「呢度……呢度……只會一直係咁。」

「唔係話只要過歲數或者儲夠就可以投胎咩？」

「假，一切都係假。只要留喺度就無可能投胎……」

她流着淚，跪在地上，咕嗒幾句，開始抱頭痛哭。

「妳咩意思？瑤婆明明唔係咁講？！」

「佢係呃你。我見過出去嘅人，佢哋唔係投胎，只係淪為佢爪牙幫佢害人……」

「唔係，妳點會知……」

「我原本就唔係呢度嘅人，只係被佢哋捉咗入嚟，我同 BB 都係喺九龍城死嘅鬼，呢個鬼結界就不斷吸收附近嘅冤鬼入嚟，我係其中一個……你哋太細或者唔知，但喺出面我見過好多嬌……瑤婆嘅鬼，都係幫佢害人，所以唔好信佢。」

「無可能……無可能……」張村梅跪在地上，喃喃自語。

「妳而家明啦。」我說。

「究竟……我喺度咁耐有咩意義……我嘅生命……一切……打咗咁多年工，原來乜都無……我為佢做咗咁多嘢！」

「呢個世界係荒謬，但而家唯一要做，係諗點走……」

「走唔到……任何出城寨嘅人都要得瑤婆批准。我哋……已經完……一切都完……」

「嬌我妖批准……點解唔試下反抗？城寨咁多鬼，有各式各樣嘅妖怪。」

「九龍城寨最大係瑤婆，根本無人反抗到佢。」

「你一世喺度困住，定會試下為尊嚴自由而戰？」

「我……」

天空下起大雨，滴滴達達的，地上霧出雨花，混合污水，生出醜陋中的美。

「如果我一世都喺呢個地方，倒不如押注一博？我會幫你。」

「你幫我？你點幫我？」

這時鳴聲四起，四隻怪物從危樓而降，一隻狗怪，一隻牛頭，一隻馬面，一隻雞頭。

牠們手執長槍，身高六尺，氣勢逼人。

「工民張村梅，公然違法，處以極刑。」牠們説，然後一步一步逼近。

「幫我解鎖！」我急説。

「吓？」

「幫我解鎖，我先可以救到我哋！」

她立時解鎖，鬆手之後，那狗頭怪已來及我們面前，僅一尺之近，張開血盆大口，便咬噬過來，我拉着她後退，避過致命一擊。

「等我嚟！」我説，拿出南門蔚留給我的符，注入墨氣，一噴，電與火如閃電轟去狗和雞頭怪物，不偏不倚地擊中，頓成炭灰。

「睇後啊！」話語之間，其餘兩隻怪物想從後突襲，我聞聲轉身，拉不開距離，逃避不及，硬中牠們一拳。

我先退後幾步，着張村梅退開一邊，因我實在沒有能力顧及她，她應聲避去後巷。我便撿起一枝鐵通，擺出劍勢，同時注入墨氣。

「垃圾，受死。」牠們揮槍突進，長刺猛插，快如閃電，我左右迴避，好幾次差點中招，用力一劈，格擋着長槍，再橫掃將牠們解武。

「小心啊！」張村梅大叫。

冷不防牛頭拔出小刀，往我腰間刺去。但刀凝在半空，不能再進，猶如定格。

「張村梅，你竟敢……」牛頭往我後方大叫。

是張村梅用念力擋着。

「江寒出水。」一道劍氣刺破牠們，其疾如風，牠們逃避不及，正中頭部，一招喪命。

「呼。」我說：「好彩都無生疏到。」

發覺沒有人應我，回頭一望，張村梅正瞪眼不言，沿她目光望去，**正是瑤婆。**

嬌我妖。

她換上一身古旗袍裝，緩慢地朝我們而來，腳步雖慢，卻每步驚心，有懾人的氣場。

「今次死啦……」

「唔使死。」我說：「有我喺度。」

「你唔會夠瑤婆鬥，無人會夠瑤婆鬥……」

十秒之後，她來到我們面前，瞧了一眼兩隻怪物，就道：「你都幾好身手，果然係一隻殛，我只有聽聞過，但未見過，而家有你，我哋鬼界又有一個強大嘅戰力。」

「唔好傻啦，我係唔會幫你哋做嘢。」

「哈哈哈哈。」她的笑聲是刺耳的，説：「傻啦，邊個叫你幫我哋做嘢，好快你就會無咗意識。同埋，好快我就得到最強嘅武士身體，到時想點就點。」

「果然係妳……係妳做嘅一切？」

「由好耐之前，我就已經知道楠木正成嘅存在，但唔知佢嘅所在地，直到近年有人同我講想合作，先有消息知佢喺東華義莊。但佢需要活人之氣先可以復活，所以用生人嘅血係最好。」

有人？難道就是日本那邊？

「嗰個乜陳伯都係你哋嘅人？」

「當然，要復活佢仲需要至怨之血同氣，所以都花咗我好多人力物力，用咗好多鬼，做成唔少血案。係我近年最大投資，不容有失。」

「至怨之血……」我恍然大悟道：「所以先有咁多慘案……妳都幾賤格，唔係一般嘅賤。」

「只不過你站喺另一個物種角度睇我，你哋人類都係一樣對其他物種做過分嘅嘢。」

「得到武士又點？佢都唔會聽你講。」

278

「傻啦，你唔知鬼殭可以合一？當佢完全返生，就係我要佢身體之時。」

「唔好傻，南門佢哋會阻止。」

她不屑地一哼，然後瞪着遠方的張村梅説：

「阿梅，我無諗過妳都會出賣我。」

「瑤婆……我無……」

「唔使再講，以我對妳嘅恩情，妳係咁樣以怨報德？」

「佢呃妳為佢做嘢咁多年，仲有係佢帶妳入呢個鬼界，令妳無法轉生，咁都叫有恩情於妳？」

「阿梅，妳唔好再聽啲外人亂講啲咩，唔通我妳都唔信？」

「證據在前，你係唔使理佢。」

「阿梅，如果今次你願意跪喺度同我道歉，呢件事我可以當無事，一筆勾銷。」

張村梅此時雙腳屈曲，欲跪在地上，求情説：「瑤婆，對唔住……我……」

「唔好跪呀！」我高喊。

「吓……」她被我這一呼嚇倒，動作停格。

279

「呢個世界無嘢值得你跪！包括你眼前嘅醜怪婆，佢唔值得你出賣自己嘅尊嚴，起返身！」

「但⋯⋯瑤婆會殺咗我哋⋯⋯」

「放棄尊嚴，即係放棄自我。」我說：「你唔可以放棄。」

「咁又可以點？」她絕望地盯着我，眼神盡是不甘，卻又無力。

「由我保護你。」

她屈曲的雙腿漸漸變直，站回起身。

「挺直你嘅胸膛，睇住我，由我教你咩叫反抗。做鬼或者可以乜都得，但你想做一個人，就要有反抗嘅心，反抗世界，反抗荒謬，反抗呢條八婆。」

我雖然嘴巴是如此說，但實際上我很清楚，嬌我妖氣勢逼人，實力深不可測，我內心是沒有底，能否全身而退也是一個問號。

「不知天高地厚，嘅仔，今日我喺度畀你睇下，咩叫鬼魅嘅實力。」

「我對着旗袍嘅婆婆無乜興趣。」

她左手一揮，手執一把古扇，輕輕一撥，烈風席捲而來。

這是什麼鬼怪，有如此強大的威力？

「黐線，妳係鐵扇公主嚟㗎？」我不禁説。

我退後一避，回望，風所捲之處頓成荒蕪。

「你真係太多嘢講。」

「還好。」

「太慢，死嘅仔。」

還未定下來，她不知怎樣瞬身至我身後，右手向我左肩一抓、一拖，即成一條深長的血痕，刺痛如火燒的撕裂感油然而生，痛得生不如死。

「啊！！痛痛痛……」我左臂外批，她穩穩用扇擋住，我接連再右拳一揮，她向下避開。但其實只是幌子，我左腳此時已蓄力一踢，啪！正中她的右臉，飛出半里之外。

「唔錯，可惜太細力。」她摸一摸臉上的踢痕，説：「我教一教你，殺人係要致命。」

她再度捲起龍捲風，一揮，風即破襲而來。

這次我吸取教訓，身體往右避開，雙眼緊瞪着她的身位，嚴防她竄到到我身邊。

沒事，身邊什麼人都沒有……後面是有隻小鳥飛過。

「小心後面啊！」張村梅一叫，我驚惶轉身，才發現她是後面而來。

「去死。」我逃避不及，右腰被她的扇子插中，血流如水。

「佢……可以變成任何嘢。」張村梅大叫。

「你仲未明啊？呢個世界係我管，我可以控制一切嘅生物。」嬌我妖笑淫淫道。

「妳……」

她抽出扇子，貼着我的身體揮扇，如 S 型的舞動，我全身頓時劇痛起來，左耳右手左胸右腳都生出許多不同大小，如同刀割的傷口。

我將她踢開，雙方重新拉開距離。

「下一次你就死。」

「睇下邊個死！」我忍着傷口的痛，全力衝刺，她反而站立原地，一點不動，我全力抓着她的頸，猛然一拳打向她的右臉。

咦？

她的臉沒有實體……不，不是沒有實體，而是有一張完整女人的臉出現在她的右臉，硬中我的一拳，那臉上的女人露出痛苦的表情。

「我身體有無數嘅魂，全部都係畀我食咗，背叛我嘅人。」她盯住張村梅説。

她抓着我的肩膀，猛打數十拳，心肺都被震動。

「今次就拎你條命。」

她舉高扇子，準備插向我的心臟，完結一切。

突然間，有一股力量扯我離開，我瞬間被不知名的力拉離戰場。

「走？」

那無名的力甚大，我飛似如箭，連她也追趕不上。

好一會後，我才意識到，是……跳樓咒語。

我被扯到唐樓半空，正要將我摔下樓，我花盡身體最後一口力，及時轉身，在最後一秒時雙腳踏地。

呼，沒想到是跳樓咒語救了我自己。

可是傷口失血過多，我開始頭痛休克，就跪倒後躺在地上。

我……不能死……

還有張村梅等我救……還有……香港……南門蔚她們……

我⋯⋯今⋯⋯不⋯⋯

囈語不停，我已不知自己説什麼。

再度醒來之時，身在一寺廟內，清靜無音，只有淡淡流水聲。

我正欲起身，發覺腹上和背部隱隱作痛，不能再動。

「你嘅身體都幾勁，畀着其他普通人應該一早死咗。」

一把男聲説話。

遠方一個男人，是寺內的和尚？他大概五六十歲，光頭，臉上有許多刀疤，是歲月的殘痕。一身樸素的打扮，拿着塵掃，對着空地不斷掃。

「你係？」

「你應該唔係人？殛？」

「你究竟係邊個？」

「唔使多謝我，我唔鍾意人講多謝。」他專注在掃地，沒有回望。

他是一個怪人，不但説話奇怪，掃地姿勢同樣奇異，塵掃不貼地，如何能掃。

「係你救咗我？」

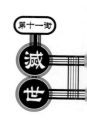

「我見你打到成身傷晒，咁啱經過，就帶你返嚟，算唔上係咩救唔救。」

「多謝你。」我說，他默不作聲。

這時，我才記起剛才他那一句不必多謝。

環望四周，這是一間普通的寺廟，點着壇香，掛滿山水畫、書法字畫，還有數十枝毛筆和墨硯，我不懂書法，也看得出畫中的字蒼勁有力，其中一幅是一個明字，氣勢如虹，令人震懾。

「呢度係……寺廟？」

「心中睇到係咩，就係咩。」

「九龍城寨入面竟然會有寺廟？」

「好多事，啲人都覺得無可能，正正喺無可能嘅地方，先最有可能。」

「大師，你講嘢太禪，我實在聽唔明。」

他微微一笑，指着我身旁的茶具，說：「不妨飲啖茶。」

他有如日本的茶道職士，用心泡茶，每一步都讓人感到專業，泡好後，又再回去掃地。

我呷了一口，茶香四溢，漸漸回甘，甚是好飲。

「幾香。」

「我沖茶都有一手。」

「大叔。」

「叫我歸明。」

「歸明大叔，多謝你救咗我又請我飲茶，不過我趕時間要走。」

「你傷勢好啦咩？」

「少少傷。」我吸了一口氣站起身，別少看這個動作，已夠我滿頭是汗。

「係乜嘢令你堅持？」

「出面好多人等緊我救，仲有隻老妖未死，加上我仲要搵一個叫陳道明嘅人。」

「你搵佢做咩？」

「你識佢？」

「都好多年前，佢離開呢個世界好耐。」他大力一掃，還是什麼都碰不到。

「點會咁㗎……」我從有一絲希望跌落低谷，茫然地說：「咁香港咪無救……」

「咁又未必。」

「歸明叔你有所不知啦,而家香港出咗一隻千年老殭,只有喺一百年前同佢交戰過嘅陳道明先會救到香港。」

「我講過啦,未必。」

他還是專注在掃地。

「後生仔,過一過嚟。」

我趨前,忽然發現身上的傷痛……竟奇蹟般痊癒,完全不痛……我轉頭望向那杯綠茶……

不可能吧?

「過嚟啦。」

到他面前,他仍然是淡淡然掃着腳上的空地。

「歸明叔,我想問你好耐,點解你一直喺度掃啊掃,但又掃唔到?」

「輕不着地,我係掃緊自己嘅內心。」

「自己嘅內心,**『時時勤拂拭,勿使惹塵埃。』**」

「唔係**『本來無一物,何處惹塵埃』**?」

「你試下寫一次大字。」

「我唔識寫大字喎⋯⋯」

「所以咪叫你寫下。」

　　我蘸了一下墨,寫在紙上,可是控制不到力度和墨水,一肥一幼,奇醜無比。

「呃⋯⋯我都講咗,我真係唔識寫大字。」

「再嚟。」他說。

　　我又如常蘸了一下墨,這次試試輕輕落筆,卻仍是歪歪斜斜,比例不對。

「再嚟。」他再說。

　　我又再次挑戰,着力點嘗試輕一些,可是仍然失敗。

「再嚟。」

「又嚟?」

「係。」

　　我又再次挑戰,仍是失敗。

　　如是者,挑戰了數十次後,還是寫得奇醜,如同小朋友的字。

「睇我,我示範一次。」

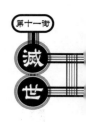

「有無人教過你用墨？」

「嗯⋯⋯小學時上堂學過，但唔記得晒啦。」

「我指墨氣。」

「大叔⋯⋯你識墨氣！？」

「當然。」

「有，我師父有教過我。」

「御墨氣，但點蘸墨，就係心法問題。記住我所講，你就一定得。依止根本識，五識隨緣現，或俱或不俱，如濤波依水。」

此時，毛筆無故湧出源源不絕的墨水，宛如山水畫中的動麗，如同 3D 特效般浮現眼前。

「御墨氣，刮墨。」

他大筆一揮，疾風怒刮，外面的樹葉一塊塊被刀割般，一塊大石被輕易削成兩斷，後寫在紙上：「明。」

「一字記之曰：『明。』」

「好勁，呢個係⋯⋯」

「**墨劍術**。你，天資唔差，但唔識點用，而家應該好啲㗎啦。試下。」

我點點頭，默念他剛才一句：「**依止根本識，五識隨緣現，或俱或不俱，如濤波依水。**」

如同平常一般用氣，後有一股溫熱感從我背部湧入心中，果然有墨水從筆中一湧，一揮，所畫之處盡成灰燼。

「無論係嬌我妖定係老殭，我相信你都有能力面對。」

「點解你知⋯⋯」我詫異數秒，才驚覺：「你係⋯⋯？」

「**昔日我認為道理係要彰明，以言行道出，今日我先明，人不過渺小，只能歸明。**」

「你就係陳道明！我終於搵到你！」我跪在地上，捉住他的雙腳説：「求求你！香港需要你！」

「**呢個世界無咗陳道明，仲有你。唔一定要係陳道明先救到世界，你都可以。呢個世界係無從天而降嘅英雄，但只要你挺身而出，你都係英雄。**」

「自從我決定入呢個空間開始，已經下定決心唔再理塵世事，係退隱，所以一直潛藏咗喺九龍城寨咁多年都無畀人搵到。今次救你都係因緣和合所致，以後一切靠你。」

「但⋯⋯但我唔得㗎！要靠你先可以㗎！」

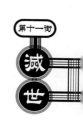

「相信我頭先所講，你都可以係英雄，唔需要我……記住我所教嘅，你終將戰勝一切。」

「睇下佢哋，佢哋需要你。」

他指着外面的池塘，水面浮現着一些畫面，如同戲院投映一樣。

畫面中，是一片火海，細心一看，才發現是九龍公園，南門蔚和伽樓一正跟武士殭屍戰鬥中。

武士殭屍從火海中脫身，一點事都沒有，絲毫不損，它一手就抓着南門蔚的頸，一扔就把她拋到遠處，狠狠一摔。

伽樓一站在陣法中，施展陣式之術，一個龐大的八卦從天而降，如同結界限制那殭屍，進出不能。

「南門蔚，上啊！」

但南門蔚仍倒在地上。

「南門蔚，醒啊！」

呼了數聲，大約一分鐘後，她終於有反應，立時站起來，用劍插向它的身體，切開它的胸口，只見一顆跳動的心，但沒見幾秒，傷口便自動癒合。

這時，伽樓一已到達極限，陣法遭破，二人被抓着，捏得喘不過氣。

「韓壬辰⋯⋯」她呼叫。

「我可以點返去！！？」我急問。

「有時有啲嘢唔需要問，緣係種子，因係水，緣到，因自然都到。」

「但係⋯⋯」

「我與三界早已緣盡，但你同呢個世界嘅緣分未解，係時候要回到你嘅空間，仲有更多嘢你係需要做，努力⋯⋯」

「但⋯⋯我⋯⋯」

「韓壬辰，如果有機會幫我同花蓮講句，我很好。」

「邊位花蓮？」

「都係嗰句，緣到，你自然會明白。」

「道明叔，你講嘢可唔可以唔好咁深。」

「呢個，畀你嘅，當係最後嘅禮物。」

他將手中的掃帚遞給我，一拿上手，發現奇重無比，完全不像一把掃帚應有的重量，應該有好幾斤。

用力一握，掃帚的外殼裂成碎片，現出金色和黑色的刀身。裏面是一把刀，光滑無比。

「乜東東?」我問。

他緩緩道出那把刀的歷史:

「蒙古時代,蒙古帝國西征,由速不台領軍朮赤次子拔都、窩闊台長子貴由、拖雷長子蒙哥、察合台長孫不里等進攻歐洲,當攻到去基輔市時,遇到頑強抵抗,經過長時間先攻陷。一個將領就將全城兒童都全部集中,再將佢哋父母嘅頭喺佢哋面前一個一個砍下,自此呢把刀冤魂無數,落咗詛咒。持刀者,好易被人控制。自此有名:『古蒙黑金刀』」

「下,咁你仲畀我?」我大驚,立即把刀扔掉。

他執起,拍拍塵土再說:「唔係我畀你,只係咁啱係呢個時間,由我交畀你。係好係壞就睇你造化。」

「好玄……聽唔明。」

「未明只係因為聲未入心,當有一日聲入心自然頓悟。」

「但……」

「記住,依止根本識,五識隨緣現;或俱或不俱如濤波依水。」

此時眼前的寺廟漸小,如同抽離空間一樣,四周的事物捲進一個黑洞之中,一滴水滴在我的面上,才發現自己在天台,旁面是一棵大樹,生在不相合的天台之中。

樹？

這棵樹好像我剛才見過，定睛瞪着好一段時間，才抽離目光。

無論如何都好，人家不想理會塵世就算。

我遇見陳道明⋯⋯找到他了。

「怪唔得一直都無人搵到佢⋯⋯」剛才那個空間，到底是什麼？

紅色的月亮⋯⋯

糟透了，現在不是說這些時候，要找回張村梅和南門蔚，否則她們有危險！

回到剛才的地方，空無一人，我隨便捉了街上的一隻鬼詢問，她說：「瑤婆佢哋去咗天后廟。」

天色向晚，趕到廟宇，只看見有一隻殭屍和嬌我妖，身邊正站着張村梅，手被人反綁的拖着走。

「咪走啊！」

他們只對我微微一笑，步向廟宇，消失在空氣之中。

我衝入廟宇，但門後有結界，如同有一塊無形的玻璃阻隔，無法走出鬼界。

廟宇擺放無數的神像，如同我在順利邨邨口見到的土地公廟一樣，同樣的格局。

是利用這些廟宇進出人界嗎？

可是，我又能如何出去？

我在廟中亂衝亂撞，也是不能出去，被困於廟中。

「哥哥。」

小木此時站在門口，眼睛通紅，硬咽地說：「姐姐畀佢哋捉走咗啊。」

「我知道，知唔知點解？」

「好似話要去見證歷史……我都唔太清楚……」

我立時想起武士殭屍。

「唔驚，我會救返佢。」

可是，望着這神廟，沒有出口，我也沒有什麼方法。

「如果要風，嗰度有風。」

「有風？」

「係啊，人間嘅風。」

我明白了！

「多謝你！你姐姐有救！」

「吓？」

「小木，你企開少少先。」

我執起古蒙黑金刀，仍然覺得刀身無比沉重，揮動毫不自如，需要雙手，花盡力氣才舉起。我閉目，注入所有墨氣。

依止根本識，五識隨緣現；或俱或不俱，如濤波依水。

原本的墨氣只能傳至武器，如今卻以實體呈現，滾滾墨水從刀鋒傾瀉而出，如同水墨活現眼前。

「小木，指畀我睇風喺邊個位㗎！」

小木指着一個關公像的背後。

「啊！」

我奮力一劈，將神廟轟破。

一輛小巴從我們眼前駛過⋯⋯公園⋯⋯是九龍城寨！

此時的人間也是凌晨時分，空無一人，而他們早已不知去向。

「佢哋⋯⋯佢哋喺前面啊！」小木忽然閉着眼説。

「你見到佢哋？」

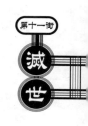

　　「見到。」他吸了一口氣，再閉着眼，指着土瓜灣方向説：「佢哋行咗去呢面。」

　　是尖沙咀。

　　對，嬌我妖想去找楠木正成，萬一給他們結合就不得了。

　　「小木，我哋行。救你家姐！」

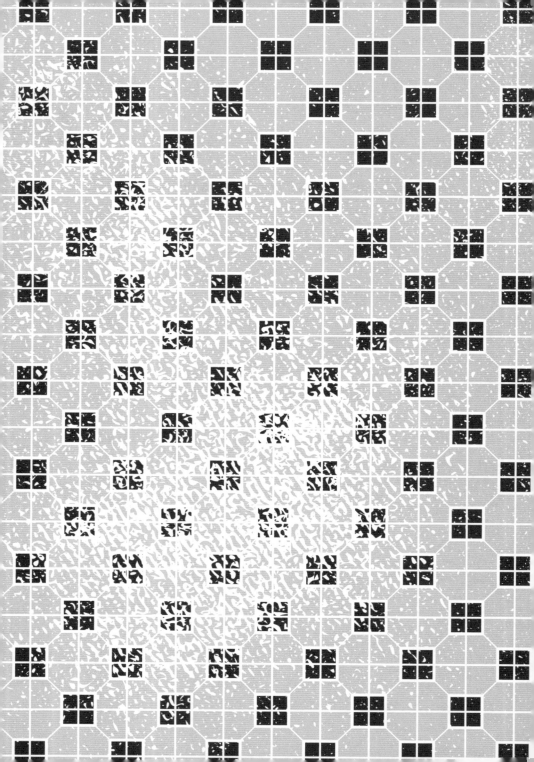

第十二街 激戰

　　話說另一邊，南門蔚他們的性命岌岌可危之際，一道符從天飛入，不偏不倚地貼在武士的手臂，轟，一陣爆破，把他炸得鬆手。

　　「呼。及時趕到。」

　　來者是一個穿馬褂的男人，年約三十歲，膚色偏白，氣質似文弱書生。他身後還有數十人，都是他的手下。全都不動，看來是他下令不准出手。

　　「黃明仁？」南門蔚好不容易喘過氣來，目睹眼前救他們的人正是驅魔工會中西區的驅魔師。

　　中西區一直是香港十八區中最重要的分區，位置有若昔時天主教中，羅馬教區在眾教會的地位。坐鎮中西區的驅魔師者，將來必然是驅魔工會的接班人。

　　黃明仁，正是第四把交椅，戰力亦是整個驅魔工會中排行前列。

　　「我以為佢哋三個加埋你兩個都夠打，點知⋯⋯好失望。」黃明仁環視四周，不見瑩玉三人的蹤影，便問：「佢哋呢？」

　　「死Ｑ咗啦，你派咁少人嚟送死，夠唔夠死得多呀？」伽樓一掩着心口的傷，諷刺地說。

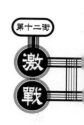

「你咁多傷仲咁多嘢講，」黃明仁説。

面對眼前的殭屍，黃明仁顯然不害怕，甚至悠然自得。

「去死。」

楠木正成如野獸撲來，黃明仁運以墨氣，手掌轉紅，以太極拳應戰。一下格擋楠木的攻勢。楠木猛攻快打，黃明仁都一一擋下，看準時機，攻其心口及下盤，原本氣勢如虹的武士，竟然緩緩後退。

四周的鬼怪，見此現況，紛紛簇擁武士，原因是他們都收到嬌我妖的命令，要保護這個武士。他們知道，不是愛護之心，而是他是嬌我妖的新載體，誰都不敢有失。

「上啊。」

數十隻鬼怪擁上，黃明仁淡淡然拿起一道符，燒了飛向他們，他們數十鬼身上亮起藍火，痛苦地哭叫。

「救命，好痛！！！」

「啊！」

最為折磨的符咒，燒命符，將鬼魂的身體一點一點地燃燒，卻是慢慢取其命，如同人間的凌遲處死，把肉一片片割下，痛苦難耐。

這些呼叫，看在黃明仁眼中卻是樂趣，他一向是如此對待鬼怪。

　　武士再跟黃明仁大戰數個回合，都一一被擋下，明顯不敵於黃明仁，看來人間有救。

　　忽然，一道紅光飛入九龍公園，是嬌我妖和張村梅。

　　「終於趕到……」我和小木也趕至，喘着氣説。

　　「又多幾隻鬼……不過無所謂。」黃明仁對南門蔚説：「點啊，又話工會明日之星，點解殺唔死一隻鬼。」

　　「……」

　　「殺唔到殭嘅原因，係因為無我，而滅殭嘅，只會係我。」

　　「隨便你點諗。」

　　在公園中間，是老殭和嬌我妖，老殭本想撲向嬌我妖，但她用扇一撥，放出桃紅色的花，老殭跪在地上。

　　「日本界嘅控屍方法果然有效，有咗呢個戰力，城寨終於大興。」她沾沾自喜説。

　　獻祭時候到了，她將手伸向張村梅，取其魂中之魄。

　　「喂！張林梅，反抗啊！！」我不斷跑前，大叫：「喂！張林梅，反抗啊！！」

　　她只是搖搖頭。

「幫我照顧細佬。」

我一路衝前，她正好此時被吸取魂氣，死前微微一笑，以口形説：「謝謝。」

天降轟雷。

三魂入體，魁殭成形。

一陣暴風捲至，如同十級烈風，將四周的樹都吹倒，無一完整。

牠反應極敏捷，轉身一手擒住我的頭，我揮刀反擊，牠一個翻身後退狠踢我的頭，把我踢飛。

「喂韓壬辰！」他們把我接住。

四周的鬼怪都紛紛擁上，大呼：「恭喜嬌我妖大人新身體。」其中一個遞上一把古刀，是武士之刀，看來是楠木正成本身的佩刀，後來落入嬌我妖手中。

「你哋太無用，失禮晒工會，等我嚟。」黃明仁輕哼一聲。

第四工會戰力的他，揮一揮手，伸出桃木劍，直刺去殭屍。

「殺咗你，我就成名。」

黃明仁身輕如燕，快如閃電，不消一會奔到牠的面前，劍指喉嚨。

老殭後退一蹬，左爪護頭，右爪反攻。

黃明仁早料有此一着，左手拉着封魔線，劍回擋右爪，雙手壓前，借勢將老殭壓至石牆，一時間壓住牠的勢。

他不等什麼，連連進攻，借機咬向左手指公，血流到封魔線，紅光頓現。

「天降百福，借靈殺妖。」

紅光越來越光，他一個翻身，同時揮向老殭，瞬間纏着牠的手腳，手腳俐落，極為快速，如果我跟他對陣，也恐怕敵不過他的身手。

老殭被綁着不能自我。黃明仁以血寫着**「天、地、干、冥。」**字，連打四掌在牠的肚中。

「天！」

「地！」

「干！」

「冥！」

火以吞滅之勢，將老殭完全消滅。

「完，簡單。」

他報以自信的笑容，轉身走向我們，正當這時，南門蔚卻大叫：「小心啊！」

老殭笑一笑，竟是嬌我妖的聲音。

鬼與殭合一。

魖殭終大成。

「太慢。」

黃明仁還未來得及轉身，魖殭已一刀突刺，直穿他的心藏，他口吐紅血，眼神盡是不明不白。

「無可能⋯⋯」

魖殭拔出刀，將他的屍體扔在一邊。

黃明仁死得如此突然，他雖輕狂，但也是工會第四戰力，如今輕易戰死，讓在眾人場心中都不禁蒙上一片陰影。

「小心！」

「上啊！要幫師兄報仇！」

「風符⋯⋯火符！」

「太上老君急急如律令！」

　　本來只跟在黃明仁身後的師兄弟開始出手，數十人圍屍，各出法寶，但一秒之間，全被楠木的紫色屍氣所擋，屍氣如同一陣有形的護盾，將所有符咒和刀劍都一一阻擋。

　　「係咩怪物嚟㗎！？」顯然他們並不知道內情，只當作是普通殭屍。

　　楠木橫刀一揮，動作快如閃電，身旁無人看得清其仔細的動作。

　　「嚓嚓嚓。」清脆俐落的幾刀，前面五個人爆出鮮血，血漿如湧泉而流，流成長河，他們的四肢、頭一一緩緩落下，死得支離破碎。

　　這是劍道，世上最強大最高明的武士流派，先前楠木一直無刀，能力已是如此恐怖，現在多了武士刀，終於發揮出其劍道的最高本領，只消幾下動作，便將眼前數個驅魔師如同豬肉般切割，斬成人彘。

　　「唔好……唔好……」其餘人見此恐怖狀況一一想逃，卻被魃殭一刀刺破身體，再刺、三刺，身體應時穿了數百個血洞，腸血盡流，慘絕人寰。

　　「救命……媽媽。」一個人哭着大叫，然後喉嚨穿出刀尖，不消一會就痛苦死去。

　　不消十分鐘的戰鬥，工會只餘下我們三人。伽樓一和南門蔚趁着剛才的空檔，稍稍回氣。而我則把仍在傷心痛哭的小木，安置於遠處稍安全的地方。

第十二話

激戰

　　「得返我哋。」伽樓一用水清洗身上的傷口，他的臉、腹部和身體各處都有不同的傷口，有的是擦傷有的是抓傷，南門蔚也不遑多讓，楠木未合成魃殭前，他們都尚且如此，現在魃殭已成，加上嬌我妖的實力，我們真的有勝算嗎？我心裏打量一番，馬上就搖搖頭。

　　能勝的。一定能勝。

　　伽樓一說：「諗好點走未？」

　　「巴士，地鐵太夜我返唔到屋企。」我說。

　　「到死前都仲講到笑，你好嘢。」伽樓一點起煙來，呼出淡淡煙霧。

　　「陳道明呢？你搵到佢嗎？」南門蔚問。

　　這一刻，我的內心不斷掙扎，不想回覆南門蔚，連瞧一眼都不想。也許是因為恢復記憶後，記起 AV 仁他們的事。南門蔚到底是否知情，如果是那麼她也是幫兇，我們的感情不淺，怎麼能夠對自己的朋友下手？冷酷無情？但回想起來，其實她本來就是一個冷漠無情的人，順從命令也不出為奇。只是……我不敢相信。是我錯了，還是根本她不知情？

　　無論如何，現在都是不得內情。

　　「搵到，我見過佢。」我雙目注視楠木，一方面是警覺，另一方面想避免跟她有眼神接觸。

「你見過佢？」她問：「咁佢？」

「佢唔會㗎，因為佢已經脫離呢個塵世嘅事。」我說：「唔好旨意佢㗎。」

「咁香港真係玩完。連佢都唔肯出手。」伽樓一嘆口氣說：「以後都無得再搵 Sally 按摩，佢嘅冰火七重天真係好勁㗎。」

他一面回味無窮的樣子，十足十淫賊。

「雖然佢唔喺度，但我信我哋贏到。」我說。

「何以見得。」他問。

「直覺。陳道明雖然係傳奇，但已經過咗去，只要挺身而出，人人都可以係陳道明。」

「哈哈哈，好。」他點起煙，說：「我鍾意啲不可一世嘅細路。」

「你手上嘅係？」南門蔚留意到我手中多了一把新刀，問：「好重怨氣。」

「古蒙黑金刀，係陳道明畀我。」

「似係無數冤靈喺入面。」

「係。鬼刀。」

308

第十二街
激戰

　　雖然不想再回應南門蔚，但事已至此，首先要解決眼前最恐怖的殭屍，其他就留待有命再講。

　　我們三人做好準備，迎向那魃殭。

　　「好耐都無感受過死亡嘅感覺。」伽樓一説。

　　「我死過好多次，包括喺呢條八婆嘅手。」我説。

　　「估唔到你咁都未死。可以見證到今日，都係你嘅福氣。」魃殭望着我説，他身是楠木的武士，説話卻是一把女人尖刺耳聲，實在格格不入，惹人反胃，活像不男不女的東方不敗。

　　「係，可以見證到你仆街都係一種福氣。」我説。

　　「哈哈，你哋有能力？」牠説畢，身後就湧出無數鬼怪，都是城寨的怨靈，任牠而用。

　　「今日，我就要一統香港。」魃殭笑説。

　　確實牠有能力，鬼與殭屍的合體，加上牠本來在城寨的勢力。

　　「發你個春秋大夢！」我説。

　　魃殭一躍，足有數層樓之高，從高空襲下，同時身後的鬼怪一一擁上。

　　「我嚓！」伽樓一「踏踏」兩步踩石，朝天橫劍一掃，火氣衝天，一把火滅盡不少怨鬼。

　　魃殭見狀，反而不避，直衝火柱，伽樓一馬上退身避開，南門蔚趁機突入，直劍一刺，以解伽樓一的危機。

　　可是這一刺毫無傷害，魃殭如同金剛不壞之身，牠一落地張口咬她。南門蔚立時將符貼在劍上，反劍一擋，應時爆出一道雷光，炸得魃殭退後兩步。她雙手握劍，由地向天上撥，一陣電擊閃光直衝魃殭。

　　伽樓一乘其勢，拿出火符，唸着咒語，天空連降十多個小火球。

　　我同出六道符，一短一長一短三長，掛成卦符，**「坎卦在上、乾卦在下，水天需！」**暴雨由天降下。

　　雷火水三屬性合攻，正中魃殭及身後的大軍，爆出一陣霧氣。

　　「死咗？」伽樓一問。

　　「仲有屍氣……」南門蔚説。

　　果然，紫氣的屍氣護體，如同最強防護，絲毫不傷。

　　「等我嚓！」

　　伽樓一飛出三符，引爆後，竄到魃殭身後，劍捲出火氣，從天劈下。魃殭以肉眼無法測見的速度回身，右手捉住劍，左腳猛踢他的胸口，右腳連踩。見此，我進陣挽救，牠拔出他的劍，一下斬傷我的左臂。

　　南門蔚握劍，捲起一條火龍，一招「火風鼎」疾刺牠的心臟，卻被牠一下避開，反捉住她的腿，將她扔向水池。

　　還未回得及氣，牠已將我們兩個挾在腋下，力氣甚大，只感到身體極度難忍，頭好像就要被壓破。

　　「我唔想同你個不男不女咁親密。」我說。

　　「口硬有咩用⋯⋯好快，香港就係我嘅。」牠笑道。

　　紫色的氣爆開，如同石油氣爆炸般的衝擊，將我們轟出五米之外。

　　我們倒在地上，頭暈不已，伽樓一吐出鮮血。

　　「我哋輸⋯⋯」他說。

　　「未⋯⋯」我說。

　　「仲未放棄？」

　　「我都唔想，但仲有邊個。」

　　「啱啱合體，意識會唔清，頭係最好攻擊位。」南門蔚大叫。

我吸一口氣，注入全身所餘的墨氣，揮動那把刀，湧現出源源不絕的黑色水墨。

「你都識水墨劍法？」伽樓一驚訝道：「而且呢種水墨……多到不得了。絕對係……正宗嘅水墨劍法。」

「御墨術！」

我運刀衝前，牠持刀作保護式，乘我近身之際，一劈，我側身一避，舉刀劈向牠的刀背，「啪」的一聲，將牠的武士刀重重壓抵地上。牠應時放手，雙爪襲來，我沒有避開，任牠插破我的胸口，牠反是驚奇。只感到胸口裂痛，這時，我左手抓住牠雙手，大叫：「係而家啦。」

他們二人參戰，雙雙揮劍插着牠的雙臂至地上，牢牢固定了牠。

我右手揮刀，但刀沉重不已，無法揮灑自如，舉刀至半天，源源不絕的墨彩劃破天際，如揮筆般水墨成一一道衝擊波，穿破紫色屍氣，將牠的左手斬斷，連帶胸口都斬傷。

「都幾厲害，可惜少啲火喉，唔夠致命，睇嚟你唔太識用呢把刀。」牠笑道。

「呼！」牠大吼一聲，屍氣爆發，將我們三人都轟飛。

紫色的屍氣圍繞其四周，一迅之間，牠斷去的手馬上就如新生一樣，長出新的一隻回來。此時，牠身旁的鬼怪都圍繞而轉，蓄勢待發。

「百鬼天斬。」牠道。

旋風趕至，一股極大的天風襲來，百多隻的鬼怪沿風而轉，發生陣陣的恐怖叫聲，震人心肺。牠站於天風的中間，舉刀向天，紫色的屍氣衝天，一下子增強數倍，能量大得驚人。

「黐線……無可能打得贏……已經超越咗殭屍。」伽樓一説。

「放棄啦。呢個世界咁荒謬，每日都咁多人枉死，由我管治一定係一個無痛嘅世界。」牠説道。

「呢個世界係荒謬。」我説。

「你都承認。每日都咁多好人受苦，惡人就得享富貴。由我管治嘅天下一定唔會咁。」

「不過雖然荒謬，定義生命嘅價值，係我哋人類自己，唔係由其他人幫我哋決定，生命都唔係為咗無痛而存在，人生就係有苦有樂先知咩係生命嘅奧妙。」我説。

「哈，呢啲無人會再信。」牠橫刀一揮，暴風趨至，如同一個超大型的龍捲風。

「唔好啊！」

「颯沓流星！」我突入風暴之中，牠揮刀就劈，同時無數鬼魂發出攻勢，將我的精神都一一吸取。

「世界是絕望的。」

「為何我爸爸要強姦我？」

「我被人撞死，兇手現在還過得快活。」

「我的妻子跟最好朋友背叛了我，還殺了我。」

「我是被人推下樓。」

「為何我被搶劫！？」

「我坐了十七年冤獄，死時無人知我是清白。」

「為何！」

「為何世界是荒謬的！？」

「荒謬！」

「荒謬！！！」

「荒謬！！！！！」

那些鬼不斷在低吟伸冤，我大吼：「收聲啊！個個都經歷過荒謬嘅事，都係照樣善良正直咁活落去！而唔係好似你哋受啲苦就怨天怨地，禍害其他人！」

「你出你嘅招，我輔助你。」他們說。

二人手執劍，衝向魃殭。牠再度舉刀，天捲起暴風，無數孤魂野鬼從遠方而來，應該都是城寨的怨鬼，漫天都是鬼魂，如同一大片烏雲蓋天到來，天色昏黑得不能再暗。

「百鬼天斬。」牠傾身前來，全身的紫氣都集中在刀上，發出如魅紫色的光芒，其光極度詭異，不能直視。

「驚唔驚？」我問。

「驚咩？」她說。

「驚死。」我說。

「生亦何歡，死亦何苦？」她淡淡然地回答。

我一愣。

是不是這種態度，才讓她覺得我們的朋友慘死也無所謂。

「去死，你兩個！」魃殭揮刀一斬，我們二人同時招架，用盡全身的力，運刀上劈。嗰噹一聲，二刀互相碰撞，擦出火花，四周的巨樹都吹得連根拔起，我們猶如站在超大巨風的風眼之中。牠的力氣甚大，持刀將我們二人硬生生壓下去，牠越壓越低，我們快要招架不住。

「頂住！」

「頂緊啦！！」

可是完全沒有作用，刀快將至頭上，只差幾厘米而已。

「呢把刀太重，完全唔得。」我說。

此時，古蒙黑金刀不斷吸收武士刀的紫光，快將受不住如此強大的能量。刀中所有的冤魂都一一湧出，吞食城寨的惡鬼。

「把刀頂唔住。」

就在我們將要喪命之時，伽樓一大叫：「我嚟！」

「火行斬！」

他一招火焰衝向牠的腹部，然後揮劍與我們一同力抗牠的壓勢，可是沒有什麼幫助。

「喂，你把刀咁流嘅，就爛啦！」伽樓一說。

「你哋班垃圾，對抗命運係無好結果。」牠說。

「我最憎命運！」我說。

牠加大力度，想將我們三人一招滅盡。

此時古蒙黑金刀終於忍不住壓力破裂，整把一下子破碎，飛散空中。同時作用力過大，將他們二人彈飛。

就在牠以為自己得勝之時，我在空中執拾黑金刀的其中一塊刀片，瞬間往牠的手一割，將整個手掌都斬下，來不及反應下，我趁機搶去牠的刀。

持刀一刻，一股非常不舒服的感覺傳入我心，好像有什麼邪惡鬼物潛入我的內心，噁心萬分，又有力量充滿了我的身體。可是當時不得多想，當我拿到刀，就在電光火石之際，刺向牠的心臟。

「水墨颯沓流星。」我將墨氣都注在刀中，全力左腳一蹬，右腳踏出，呼一聲，空氣爆破。我蓄力疾刺，將帶有墨彩的刀插得更深入，將牠奮推。水墨源源不絕地攻擊牠的傷口，燒滅牠身體內的嬌我妖，不斷流出綠色的血，痛苦地尖叫。

呼！

呼！

呼！

無數怨鬼四竄，牠痛苦地尖叫。

「啊！！！！走開！！！」

「發你個夢。」

我一直推，直至一陣煙霧從口中飛出，魃殭的眼睛轉為灰色，血也不再流了，整個僵硬，沒有掙扎。

下起雨了。

我倒在地上，全身乏力，不斷喘氣。原來已經滿身是傷，汗流滿面。

完了。

終章 反目

　　南門蔚二人趕至，見到地上躺着的魃殭屍體都不可置信。

　　「無事？」她問。

　　「嗯。」我回應。

　　嬌我妖一死，九龍城寨・鬼域也消失，鬼域裏所有的鬼得到解放。一直在一旁的小木，也隨之化成輕煙，終於投胎。

　　「你不得了，竟然殺咗佢。立咗大功，睇嚟工會……」伽樓一說。

　　我執起地上魃殭的武士刀，劍指他們，問：「AV仁嘅死，妳到底知唔知情？我要真話，唔係嘅話，每個人都要死。」

　　伽樓一對於我反劍指向他們，舉起雙手說：「喂喂喂，冷靜啲先，有事慢慢講。」

　　南門蔚則沒有什麼反應，唯一是聽到我說AV仁的名字時，瞳孔稍為放大，似是驚訝我已經知道此事。

　　「你記得返晒啲事？」她問。

「記得，記得佢哋係點死。點樣慘死喺工會嘅手下。」

「幾時？」

「無幾耐。」

「記得幾多？所有？」

「有一部分都仲未記得，所以要問妳。」

「你想知咩？」

「到底……妳知唔知呢件事？妳係咪同工會夾埋？如果唔係，嗰時點解會無啦啦去咗公幹？時間夾得咁啱好？點解要瞞我？」

她雙唇緊閉，眼神凝視我説：「你想知係咪我殺咗佢哋？」

「唔係，我知殺佢哋嘅唔係妳，但妳到底知唔知情，有無參與喺其中？」

伽樓一仍是舉高雙手説：「嘿，我同意你哋溝通解決問題，不過可唔可以放低把刀先，好容易走刀入魔。」

「你哋答咗先。」

她移開視線，低頭説：「我唔係事先知。」

「咁妳又係嗰段時間走？」

「傻仔。」伽樓一説：「點解你會咁諗？」

忽然，我內心一股激動，執起刀揮向伽樓一，他及時拔劍擋下，當我意識到自己衝動後，已經是幾秒後的事。

「Hey，唔使咁衝動嘅。」他説。

我緩緩放下刀。

「你……你哋講完先。」

我也不明白，為何自己會如此衝動，不像平常的自己，到底……

「你諗清楚啲，工會目標係你。如果佢真係知，咪即係想殺咗你？」伽樓一説。

「但而家係我哋朋友死，如果係唔知，點解妳會提醒到我。」

「記唔記得，喺殭屍大舉入侵之後，講過工會分成幾派，有啲覺得應該要畀殭屍入嚟。工會一早已經有一班人睇唔過你，驚咗你嘅力量。」南門蔚説。

「點解要瞞我？同埋到底點解你仲要留喺度？唔報仇？」

「南門氏祖訓，要守護驅魔工會。」她皺起眉，雙手握成拳頭。

終章 反目

「一個咁嘅工會，值得？ AV 仁佢哋呢？」

她沉默不語。

「瞞你係為你好。」伽樓一插嘴說：「雖然我無興趣介入你哋，不過⋯⋯」

「收聲。」

我憤然舉起刀。

「我唔會就咁算，一定唔會！以我韓壬辰之名發誓，我同工會誓不兩立，工會會為呢件事付出代價。同時，恥與你哋為伍，你哋仍然信一個殺人組織。」

我就這樣離開他們。

幾個星期後的一個下午，我到了一座有數百年歷史的古廟。

香港有如此大型的宗教古廟不多，唯一座落在繁華市區之中，前來參拜的會眾絡繹不絕，香火鼎盛。即使是下午時間，仍然大排長龍。

廟中放着數十尊神像，當中又以關公像為最尊，拜者最多，其下有數十市民正在誠心求神，或望子女成龍，或望一朝發達，趨吉避凶，期望人生順風順水。

當我步入廟內，四周環視時，有一廟祝趨前，問：「先生，嚟求神？」

「我想問呢度靈唔靈？」我問。

「誠心者自會得到神佑庇。」

那名廟祝大概五十來歲，馬面蛇嘴，戴名牌的眼鏡，就是那個末代皇帝名字的牌子，大概十來萬左右，手上的名錶更是價值不菲，看來是受歡迎的廟祝。

「我想問前程。」我説。

「好。嗰邊坐。」

他着我到側旁的小桌子坐下，他打開我的手一看，説：「先生你係做地盤？」

「唔係，我之前一直都係做死人行業。」

「喔，我見先生你隻手都傷痕纍纍咁，似係有啲經歷，唔似你呢個年紀。」

「或者我成日都會遇到啲怪事，好易整到咁。」

「唔怕，我幫你睇睇，助你趨吉避凶。」

「點解人會要趨吉避凶？」

「此話何解？」

「點解每個人入嚟都要求趨吉避凶。」

「每個人都想發達同順利，呢個好正常啫，呢個都係先生你入嚟嘅原因。」

「但人生唔係得順風順水，有時都會經歷一啲苦難。」

「就係因為咁，所以先要避咗佢。」

「即係呢啲苦係無意義？唔係人生一部分？」

「咁又唔可以咁講，只係無人鍾意啫。」

「奇怪係，人會對呢啲信到十足。」

「我幫先生你睇完，你都會信我講嘅嘢。」

他提起我的手，仔細端詳後，露出一副疑惑的樣子。

「掌紋凌亂無序，唔似人類應有嘅……我平生咁耐，都未見過……」

「點？預唔預測到，你今日會死喺度？」我問。

他側目而視，皺眉頭，手伸入袋中，掏出他的法器，一個太極八卦鏡。

「你係邊個？」

「連我都唔知，果然係驅魔工會高層。」我站起身，回到神像前說：「驅魔工會最高決策中樞，樞密堂，入面有二十八樞密使，你係其中一個陳平。」

「似人非人⋯⋯眼突然變咗月黃色⋯⋯」他恍然大悟道：「⋯⋯你就係殛。」

「落咗決定，但其實連我個樣都唔知，你哋高層做嘢真係勁。」

「我哋正派做嘢，唔需要同你殭屍交代。」

此時，四周的人一聽到殭屍二字，馬上落荒而逃，只餘三十多個工會的驅魔師，將我重重包圍。

「你哋落決定，將其他無罪嘅人殺死，咁又係正義？」

「成大事必有犧牲，接觸你嘅人，點知會唔會變成下一個殛。」他自豪地道：「但係我哋工會嘅決定明顯係啱，就係為咗避免你走火入魔，不能控制。一個有自由嘅殭，其實只會變成更可怕嘅殭屍王，根本無分別。」

「喔。唔係你哋有先見之明，係你哋將人趕入絕路。我朋友嘅死，到今日我仲記得。」我對其他人說：「唔想死嘅可以走，我只係要殺樞密使。」

「怪物，入得嚟我哋粉嶺工會就唔使諗住走。」其中一個驅魔師說。其他人都紛紛和應：「一同共生死。」

「好。」

「我哋被喻為北區最大工會之一，你真係搵錯門。」陳平沾沾自喜道：「我又可以立功，升一層，或者可以入到政事堂。」

「你工會最大粒嗰個，好快都會死。」

「大家，上！」陳平喊道，各方一擁而上。

十多分鐘後，這裏血流成河，血沾濕了八卦鏡。

當我踏出神廟，只覺得陽光有點猛烈，耀眼得不能直視。正欲坐上巴士離開，忽然又幾十個人追殺我，我邊走邊戰，將他們一一擊倒，但仍有一個窮追不捨。

我逃至後巷，正欲下手，拔刀而斬，雙劍交碰，其力度有勁，不是尋常人，她脫下帽子，才發現那人正是南門蔚。

「點解？」

「我都想問妳。」

「你點解要將佢哋殺晒。」

「佢哋係想殺我，同埋，點解佢哋要將所有人殺晒？」

「工會一早停咗對你嘅追殺令！」

「咁又點。點解妳要留喺度？」

「我係不得不留。」

「朋友，對妳嚟講係咪唔重要？」

「而家佢哋唔會放過你。」

「我唔需要,講過,我會將全港嘅驅魔工會鏟除。」

「韓壬辰。」她欲言又止,眼睛開始紅腫起來,慢慢流出眼淚。

我生平第一次見到她為我流淚。

只是,有些事是回不去。

「我對你好失望。」

「我都係。當妳留喺嗰度,我哋已經無可能再扮無嘢,我實在唔明白妳。」

我的存在,只是為了報仇而已。

她轉身離開,有幾班人追至,問:「佢喺咪呢度?」

「無。」她回應。

我繼續奔跑離開直到黑夜,望着月亮,忽然覺得世間只餘下自己。

是的,只有我自己。

忽然,街燈盡處有一個高瘦身影,穿黑衣大衣。

「你好,韓先生。」

「你乜水?工會?」

終章 反目

「唔係，我係同你一樣，受迫害嘅一群。」他的面如蒼白，毫無血氣，有淡淡屍氣，可是並不明顯。

是殭屍，並且是高級的。

「知道你近排被工會追殺緊，有無興趣加入我哋，我哋會助你一臂之力。」

「你哋都叫被迫害？」

「被趕盡殺絕，大家都係一樣啫。」

「如果係咁，我都係有份迫害你哋嘅人。」

「我明，但呢個世上無永遠敵人，利益一致時，何不交個朋友？你都想報仇？」

我愣了一愣，問：「加入你哋？你哋喺邊？」

飛機的引擎聲響起，劃破長夜的寂靜。

「日本。」

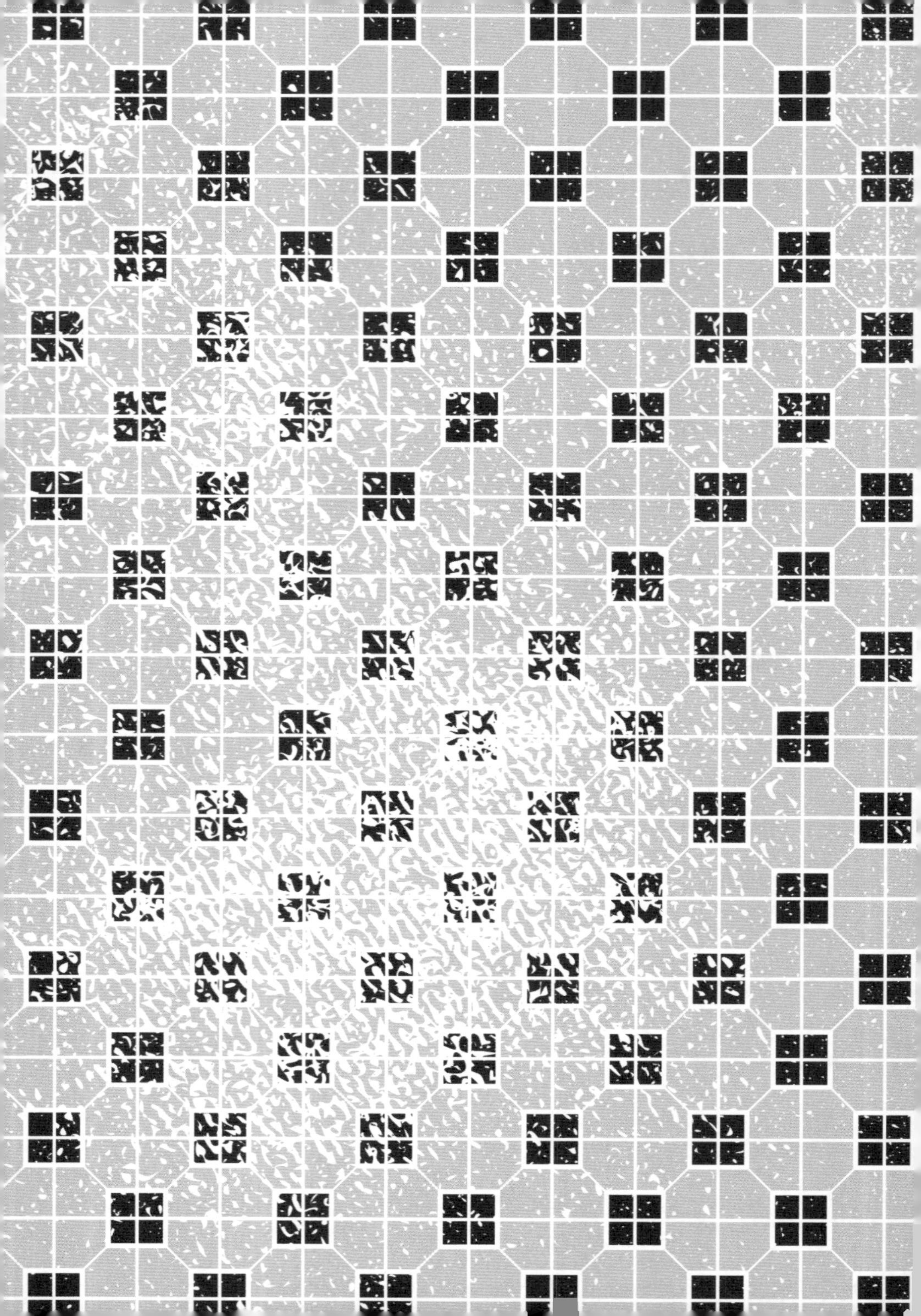

外章

日本 · 東京。

我乘坐私人飛機來到日本的東京,他們似乎是一個勢力極龐大的組織,資金雄厚,出入不是私人飛機,就是名貴汽車。

黑衣大衣男子説:「因為你係我哋嘅貴賓,當然要咁。」

望着東京繁華旺盛的街景,我問:「你哋組織到底係咩?點解唔講得。」

「我哋有一個大計劃,需要韓先生幫手,至於在下實在太卑微,不便透露。」

我們下車地點是日本的一座高樓大廈,大概三十樓高,全白色建築物。進到裏面,是一陣血腥的味道,濃烈得要命。

「韓先生知道嗎?我哋同你一樣,都好憎驅魔工會。」

如此一座商廈,卻有濃厚的屍臭味,應該有不少殭屍潛居於此。

到達三十二樓頂層,開門時,是一個和服男子,戴眼鏡的,斯斯文文,大概三十歲。

「和也，謝謝你。」那眼鏡男説，揮揮手，那個黑衣男便退下。

「呢度……有成千隻殭屍？」我第一句便開口問。

「哈哈，果然係韓先生。」

「你係？」

「我係嚟幫你。我知道你嘅朋友畀驅魔工會殺晒，我都係好憎驅魔工會，我哋可以有一個合作機會。」

「你就係幫嬌我妖嗰個日本人？」

「嬌我妖都係我哋合作夥伴，不過可惜佢失敗。難得楠木實力係不錯，但都畀到一個機會我哋睇到韓先生嘅實力。」

不錯？那隻紫眼武士在他們眼中只是不錯，那他們的實力又是如何。

「點解係我？」

「因為你特別。殛，唔係每年都有。加入我哋，我哋可以幫你更上一層。」

「如果我 Say no 呢。」

「我恐怕，你未必有命出到呢個門口。一係加入我哋，滅咗香港嘅驅魔工會，一係就成為死屍。」

　　眼鏡男身上流露出一種殺氣，是我未曾遇過，氣壓跟武士比起，武士如同九牛一毛。

　　這個男人，十分恐怖！

　　「如果……」

　　「無如果。加入我哋，我可以講畀你知，殭屍世界更大秘密，而且人類，喺一年之內必定滅亡。」他笑說。

　　另一邊廂，遠在香港的殮房，那一具燒不成灰的屍體突然張開眼睛！

　　月亮光光，光照日本的黑夜。

　　一是生，一是死。

　　而我，正在作出抉擇。

— 第二季完 —

西樓月如鈎作品

經已出版 | 各大書局均有代售

《我係窮郵差，
專門幫陰陽相隔嘅親人送信》

《寫一首情詩給暗戀女孩
她反出一首謎題給我》

《我是出租陪葬師》

《離世後，我參加了一場
解開青春謎團的回憶考試》

《廟街有殭屍 I 及 II》

《錯誤地與十年前的女孩通信》

廟街有殭屍
ZOMBIES IN TEMPLE STREET

作　者	西樓月如鈎	責任編輯	賜民
出版經理	Venus	設　計	joe@purebookdesign

「六字真言」古梵文圖，頁 183：KxMP 繪製（CC BY-SA 3.0）
https://commons.wikimedia.org/wiki/File:OmMeNiPadHum.svg#mw-jump-to-license

出　版　夢繪文創 dreamakers
網　站　https://dreamakers.hk
電　郵　hello@dreamakers.hk
facebook & instagram　@dreamakers.hk

香港發行　春華發行代理有限公司
　　　　　香港九龍觀塘海濱道 171 號申新證券大廈 8 樓
　　　　　電話　2775-0388　　傳真　2690-3898
　　　　　電郵　admin@springsino.com.hk

台灣發行　永盈出版行銷有限公司
　　　　　台灣 231 新北市新店區中正路 499 號 4 樓
　　　　　電話　(02)2218-0701　　傳真　(02)2218-0704
　　　　　電郵　rphsale@gmail.com

承　印　美雅印刷製本有限公司　　Published and Printed in Hong Kong
香港初版一刷　　2022 年 7 月　　香港出版 版權所有 翻印必究
ISBN: 978-988-79895-8-5　　本故事純屬虛構 如有雷同 實屬巧合

定價 | HK$108 / TW$540
上架建議 | 流行小說
©2022 夢繪文創 dreamakers